LE PÈLERIN DE SAINTE-ANNE

Tome II

Léon-Pamphile Le May

Deuxième partie
Le pardon

I

Le brayage

Octobre est arrivé. Le soleil brille encore, mais son éclat est doux, son ardeur, moins vive et moins desséchante qu'aux jours de l'été. Un calme délicieux règne dans la nature. La saison des aimables folies et des amours brûlantes est passée, et la vieillesse s'avance avec une couronne de sérénité sur le front. Les arbres se sont drapée dans leurs feuillages aux mille teintes ; et les vapeurs du matin s'élèvent vers le soleil, comme s'élèvent vers Dieu les parfums que l'encensoir balance devant l'autel. Les pinsons ne chantent plus dans les buissons, car ils ont déserté leurs nids de foin que la neige emplira bientôt de ses blancs flocons. Le duvet glacé des frimas remplacera le chaud duvet de l'oiseau. Dans le calme, on entend retentir, parfois, le fléau laborieux qui broie les épis couchés à quatre rangs sur l'aire de la grange. Les charroyeurs transportent dans leurs charrettes aux larges roues, par les chemins pleins d'ornières, le bois de corde destiné à la ville, et leurs cris grossiers se mêlent aux claquements des fouets. Les troupeaux bondissent dans les chaumes ; la charrue déchire le sein de la prairie et laisse derrière elle un sillon noir. Au bord des ruisseaux, sous les grands arbres, dans les enfoncements mystérieux, retentissant des coups rapides et des éclats de rires. Ce sont les coups de la *braie* et les rires des jeunes filles. Ceux qui n'ont pas pénétré dans l'endroit solitaire et poétique que l'habitant choisit pour asseoir ses *braies* et faire sécher le lin, ne savent point quel charme et quelle gaieté remplissent ce lieu.

Le 19 octobre 1849, les frappements joyeux de la *braie* se répercutaient de toutes parts. Mais les *brayeurs* les plus animés et la *braierie* la plus en renom se trouvaient sur le bord du ruisseau de Gagné. Ce ruisseau coule, en arrivant au fleuve, entre deux côtes élevées richement plantées d'ormes, de noyers et d'érables. Un pont solide en réunit les deux bords ; et le chemin qui descend à ce pont tournoie, d'un côté, autour du cap de tuf, comme une guirlande autour d'une colonne. De l'autre bord, la côte décrit un demi-cercle et le ruisseau fait une courbe. Du haut de cette côte on dirait un vaste entonnoir où descendent les arbres de toutes espèces. C'est au fond de ce ravin ombragé, au bord des ondes, sur un plateau tapissé de feuilles et de mousse que l'on a établi la *braierie* où je vais faire descendre mes bien-aimés lecteurs. N'ayez pas peur de me suivre, mesdames, dans ces lieux écartés, nous n'y serons point seuls. Le rayon du soleil y joue avec les rameaux sans feuilles, le flot y badine avec le roseau pliant, le vent y dort d'un sommeil léger au fond de l'alcôve, et les échos bavards n'entendent point les aveux que l'on fait tout bas. Au reste, si vous n'êtes pas encore rassurées, écoutez ! vous allez entendre des voix fraîches de jeunes filles, des pétillements, des murmures, des chants et des bruits de mille sortes. Attention ! gare à vous ! Laissez passer cette charrette remplie de bottes de lin. Ah ! les ouvriers vont avoir de l'ouvrage. Voyez-vous cette fillette qui fait une moue charmante en regardant arriver le voyage de lin, et qui dit au charroyeur :

– Monsieur Asselin, faut-il *brayer* tout cela avant la veillée ?

C'est Noémie Bélanger, la perle du canton.

Asselin lui répond :

– Vous êtes dix, et il n'y a pas de besogne pour six ; allons ! frappez fort et dru ! vous aurez du plaisir ce soir : les violons sont invités.

– À la bonne heure ! repart un garçon jovial qui fait un pas en cadence, et bat les ailes de pigeon sur le feuillage sec.

Nous sommes avec les jeunes gens qu'Asselin a invités à *brayer*. C'est la corvée de Mme Eusèbe. Il serait ennuyeux de s'en aller seul, pendant de longs jours, écraser sous l'instrument fatigant, le lin desséché ; on convie ses amis, ses voisins, et l'on va par bandes joviales. Chacun à son tour fait sa corvée. Quand le lin s'est transformé en une filasse blonde et soyeuse, on paie les *brayeurs* par une veillée de jeux et de danse.

Asselin venait d'apporter le reste du lin.

– Plus tôt vous aurez fini, mieux ce sera pour vous, dit-il, ce sont les dernières bottes et elles sont petites.

Un immense hourra monta des bords du ruisseau, et les jeunes gens se courbèrent avec une nouvelle ardeur sur les *braies* retentissantes. Asselin souriait. Il y avait dix travailleurs sans compter Mme Eusèbe qui faisait sécher le lin : cinq garçons et cinq filles. Édouard Dufresne qui secoue ses poignées avec une vigueur et une adresse admirables, tout en lançant des œillades à sa voisine ; Philippe Bégin et Xavier Déry qui ripostent sur tous et sur tout ; Léon Dugal et Anthime Noël, qui travaillent en conscience pendant une heure, et pendant l'heure suivante se mettent en grève, et turlupinent les filles ambitieuses qui luttent de vitesse et d'habileté ; Arthémise Boisvert, dont le renom comme *brayeuse* est connu dans toute la paroisse ; Clémentine Pérusse, grosse blonde souvent rêveuse, dont le regard trouble Philippe Bégin ; Sophie Auger et Sara Filteau, deux amies inséparables à la veille de se séparer, parce qu'elles ont le même amour ; puis Noémie Bélanger, active et rieuse, qui parle, rit et chante sans perdre un coup de *braie*. Un peu à l'écart, Mme Eusèbe surveille la chaufferie. Un échafaud composé de perches de saule placées horizontalement, et les bouts appuyés sur quatre bâtons solidement fixés en terre, se trouve au fond du plateau, au pied de la côte. Il est à l'abri de tous les vents. C'est là, sur cet échafaud, que l'on étend le lin. Au dessous, un feu est allumé qui pétille et fait monter jusqu'au-dessus des bois les orbes de sa fumée légère. Il faut qu'une main habile attise la flamme trop languissante, ou réprime le foyer trop ardent, car le lin brûlerait ou ne sécherait pas assez. Quelquefois la *chauffeuse* s'oublie à jaser, et l'âtre flamboie plus vif comme s'il y mettait de la malice. Une langue de feu s'élance et va lécher le lin qui s'enflamme en pétillant. Les travailleurs poussent un cri ; les instruments se taisent ; chacun court de son côté, les uns vers le ruisseau pour apporter de l'eau, les autres vers la chaufferie pour sauver le lin qui n'est pas encore enveloppé par la flamme ; une fumée épaisse s'étend au dessus de la *braierie*, comme un nuage menaçant, et les arbres paraissent flotter dans une mer de ténèbres. Bientôt les clameurs de joie recommencent, et la *chauffeuse* imprudente est accablée de railleries. Souvent elle se défend avec une finesse et une loquacité merveilleuses. Les coups réguliers de la *braie* retentissent de nouveau, et le feu se rallume sous l'échafaud recouvert de lin.

La conversation ne languit pas parmi les travailleurs d'Asselin. Redisons quelques unes des paroles que les échos répètent. Et d'abord, c'est Clémentine Pérusse qui fait endêver Noémie Bélanger.

– Tu es contente, Noémie, de savoir le muet libéré. Il t'a remercié, au moins ?

– Ne trouves-tu pas cela affreux, toi, qu'un innocent paie pour le coupable ?

– Avoue que tout était contre lui.

– Tout le monde le croyait bien coupable, reprend Léon Dugal en secouant sa poignée de filasse. J'étais à Québec quand son procès a eu lieu ; vous entendiez dire partout : « C'est bien ! il n'a pas trop de cinq ans de réclusion ! » ou : « C'est un fin matois. Il fait le muet : il va retrouver la parole au pénitencier. »

Noémie dit :

– Je suis bien sûre que les voleurs sont ces drôles qui ont bu mon lait.

– Et qui t'ont embrassée ! ajoute Dufresne.

Noémie rougit.

– Chose singulière, personne ne les a vus ces vauriens, observe Déry.

– Oui, la mère Mignon Matte a dit à Joson Vidal qu'elle les avait rencontrés dans le haut du champ. Elle ne les a pas remarqués et n'en a pas parlé dans le temps ; mais aujourd'hui elle se les remet bien.

– C'est vrai ! le père Joson l'a dit chez nous.

– Ce pauvre Pagé, reprend un autre, sa bonne action va lui coûter cher.

– Tu vas voir, Philippe, c'est cette affaire qui va mettre la police sur la piste des vrais voleurs.

– Cela se pourrait.

– Ah ! madame Asselin, attention au feu ! gare à la *grillade* !... crie tout à coup Dufresne, qui vient de jeter sournoisement un paquet de branches sèches dans le foyer.

La flamme mordait les sarments et dardait ses flèches aiguës comme des langues de vipères, jusqu'à l'échafaud chargé de lin. Mme Eusèbe court à la chaufferie, disperse les tisons enflammés et réussit à prévenir un malheur. Édouard rit à s'en rouler.

– Qui est-ce qui m'a fait ce tour-là ? demande la femme un peu contrariée.

– C'est Philippe ! répond-il.

– Non, madame, c'est Déry.

– Non, madame, ce n'est pas moi, c'est Arthémise.

– Menteur, va ! c'est Noémie.

– Moi ? je n'ai pas laissé ma *braie* depuis une heure...

Et de rire. Et les aigrettes légères volent au milieu de la bande travailleuse, comme une neige folle, et les jupes de droguet des jeunes filles, et les chemises de toile des garçons se couvrent d'une couche soyeuse et malpropre que la brosse fera disparaître.

Du fond de la *braierie* on voyait le pont, et nul de ceux qui passaient, n'échappait aux regards curieux des *brayeurs*.

– Connais-tu ce jeune homme qui descend la côte ? demande tout à coup Sophie Auger à Xavier Déry qui s'approche d'elle avec un paquet de filasse.

Déry regarde vers le chemin.

– Non, je ne le connais point. Le connaissez-vous, vous autres ?

Tous les bras s'arrêtent à la fois, et les têtes se tournent vers le pont.

– C'est un étranger, dit Asselin.

Puis il ajoute de suite :

– Espérez donc ! il me semble...

– Le connais-tu, Eusèbe ?

C'est Mme Asselin qui parle.

Eusèbe fait ce ridicule mouvement d'épaules et de tête, qui veut dire : « peut-être », ou : « je n'en sais rien ».

L'étranger disparaît derrière les arbres, les *braies* reprennent leur besogne, et les ouvriers moqueurs se mettent à plaisanter le passant inconnu.

– Il est long comme d'ici à demain ! dit l'un.

– On peut voir le jour à travers ! ajoute l'autre.

– S'il venait nous aider !

– Il a l'air d'une *braie*.

– Il porte une botte d'étoupe sur sa tête.

Les plaisanteries cessent tout à coup : l'étranger vient de s'engager dans le chemin de la *braierie*.

– Diable ! murmure Asselin, c'est lui !

Et il fait un pas vers le voyageur qui le prévient :

– Comment vous portez-vous, monsieur Asselin ? Je vous ai reconnu de là-bas.

– J'ai cru vous reconnaître aussi moi, répond Eusèbe, mais je n'étais pas bien positif.

Asselin serre la main que le jeune homme lui présente. Philippe se penche vers Noémie.

– Il parle avec son nez, ce garçon.

– Noémie se détourne pour rire sans être vue.

– Où allez-vous donc ? demande Asselin au nouveau venu.

– Je cherche une femme qui demeure ici, m'a-t-on dit, depuis une huitaine de jours.

– Avec sa fille ? dit Mᵐᵉ Eusèbe.

– Oui madame, avec sa fille.

– Tiens ! je gage que c'est celle-là qui vient d'acheter la maison de Jean Nadeau, près de l'église. Elle tient un petit négoce : elle vend des pipes, du tabac, du fil, des épingles, des nanans. Elle part de Québec ?

– Oui.

– Elle tenait auberge ou maison de pension à la Basse-Ville ?

– Oui.

– Elle ne demeure pas bien loin d'ici : une demi-lieue au plus.

– Merci ! je la trouverai bien, maintenant.

– Si vous aimez à rester avec nous, à voir *brayer*, ne vous gênez pas, dit Eusèbe.

– Vous êtes bien bon, M. Asselin ; si je ne dérange personne, je regarderai volontiers ce jeu des *braies* : cela me rappellera les jours d'autrefois. J'ai été élevé à la campagne, et j'ai fait toute espèce d'ouvrages ; je ne *brayais* pas mal, je faisais mes cent poignées.

– Il se vante ! dit Xavier Déry à Sara.

– Offrons-lui une *braie*, propose Dugal.

– Eh ! l'ami, voulez-vous vous exercer le bras un peu ? lui dit ce diable de Dufresne, voici une demoiselle qui se sent un peu fatiguée.

Il montrait Noémie. La jeune fille sent le rouge monter à son front, et réplique en riant :

– Je suis capable de remplir ma tâche, et de danser encore à la veillée.

L'étranger la regarde dans les yeux, et la trouve fort gentille. Il s'approche d'elle :

– Laissez-moi prendre votre place un instant, lui dit-il, je ne ferai pas aussi bien que vous, mais vous vous reposerez et j'en serai bien aise.

Noémie cède sa place.

– Ne vous gênez pas, mes amis, regardez-moi et riez, dit le jeune homme aux *brayeurs* qui ne travaillent plus et le dévorent des yeux.

Quelques-uns, intimidés par ce sans-gêne, se remettent au travail, les autres rient davantage. Le nouvel ouvrier réussit à peine à rompre une poignée de lin ; il est d'une gaucherie superbe ; et quand il bat sa poignée sur la *braie*, pour faire tomber les parcelles et les aigrettes nombreuses, il arrache la filasse blonde, et n'a plus bientôt dans la main qu'un paquet insignifiant de mauvaise étoupe. Tout le monde rit de bon cœur, et lui plus que les autres.

– Vous maniez mieux la hache, je suppose ? dit Asselin.

– Tord-flèche ! le verre aussi. On ne prend rien ?

– C'est un farceur, observe Philippe.

– Il a l'air fripon, reprend tout bas son voisin.

Asselin avait répondu :

– Venez ce soir veiller à la maison, peut-être aurez-vous la chance de prendre quelque chose.

– Mille noms d'une pipe ! m'invitez-vous sérieusement ?

– Sérieusement.

– Alors, je ne me rendrai chez ma mère que demain ; j'ai été quinze ans sans la voir, quand même je serais quinze heures encore.

– Je ne sais toujours pas votre nom, observe le cultivateur.

– Il n'y a pas longtemps que je sais le vôtre.

– Comment les amis de Québec vous appelaient-ils donc ? Je ne m'en souviens plus.

– Bah ! vous n'osez pas dire : Picounoc ; allons donc ! est-ce que j'ai du respect humain, moi ? Je m'appelle Picounoc depuis quinze ans, et je m'appellerai ainsi jusqu'à demain. Demain, je reprends mon premier nom ; je me range, et je n'ai pas l'intention de retourner dans les chantiers.

Ce nom provoqua le rire. Et l'on entendit une dizaine de voix demi-étonnées qui murmuraient : « Picounoc ! » comme si les arbres de la *braierie* eussent parlé.

Tout à coup s'élève, de l'autre côté du ruisseau, sur la côte chevelue, un chant d'une indicible mélancolie. On prête l'oreille.

« Qui peut chanter ainsi ? » se demande-t-on.

– C'est une chanson nouvelle ! L'air en est triste !

– Elle ne chante pas mal cette fille.

C'est, en effet, une fille qui jette au vent le dolent refrain, et sa voix tremble en chantant. Elle dit :

Aujourd'hui j'ai perdu bien plus d'une espérance
  En floraison,
Et le doute a soufflé sur ma frêle existence
  Son froid poison.
Ici bas j'ai cherché des amitiés divines,
  Soins superflus !
L'amour a des regrets, le bonheur, des épines...
  Je n'y crois plus !

La chanteuse marche. On la voit passer à travers les branches dénudées, comme un spectre au milieu des croix du cimetière. Elle descend la côte. Ses cheveux en désordre flottent sur ses épaules. D'une main, elle retient les pointes d'un châle de mérinos jeté sur sa robe d'étoffe du pays, et de l'autre, elle porte un petit chapeau qui doit avoir coiffé une tête mignonne. Elle s'avance jusqu'au milieu du pont, regarde de côtés et d'autres, se penche par-dessus le garde-fou comme pour mesurer la hauteur où elle se trouve, tend une main vers le ruisseau profond et gesticule en parlant avec feu. Les *brayeurs* la regardent, surpris, mais ne comprennent point ses paroles. Elle les aperçoit soudain, se tait, leur fait un signe de la main, et franchit d'un bond le pont étroit. Elle arrive en courant.

– Geneviève ! Geneviève ! s'écrient les jeunes travailleurs.

Asselin sent un frisson courir dans ses veines ; il ne dit rien, et se retire au fond de la *braierie*, près de l'échafaud. Geneviève, pâle, décharnée, les yeux secs et vitreux, les lèvres serrées, regarde tout le monde, et tous les regards sont fixés sur elle. La première elle rompt le silence :

– Est-elle ici ? L'avez-vous vue ? dit-elle... Je la cherche depuis trois jours !

– Qui ? demande Picounoc.

Geneviève jette au facétieux garçon un regard effrayant.

– Qui ? Qui ? Tu le sais bien ! Tout le monde le sait. Au Château-Richer tout le monde pleure, à Québec tout le monde rit, parce que les méchants sont venus de la ville.

– On ne te comprend plus, Geneviève ! dit Mme Eusèbe en s'avançant vers la malheureuse fille : es-tu troublée ?

L'infortunée ramasse une petite pierre et la jette dans le ruisseau en disant :

– L'eau était calme, maintenant elle est agitée ; elle était pure, maintenant elle est vaseuse. C'est l'image de mon âme. Malheur à celui qui a souillé mon cœur ! Malheur à ceux qui persécutent l'innocence ! Les enfants sont les anges du bon Dieu, et le bon Dieu pleure quand vous leur faites du mal... Mais pourquoi me regardez-vous ainsi, vous autres ? Travaillez donc ! Le serviteur qui ne travaille point ne mérite point de manger !...

– Ni de boire ! ajoute Picounoc.

– Il boira le calice amer de l'indigence.

Elle aperçoit Asselin.

– Pourquoi te caches-tu ? lui crie-t-elle. La petite Marie-Louise est-elle avec toi ? Rends-la moi ! j'ai promis à sa mère de la protéger. Sa mère me l'a confiée et m'a suppliée en pleurant de la déposer au pied de la croix.

Elle s'avance vers Asselin.

– Pourquoi ce feu que tu attises ? As-tu jeté la petite Marie-Louise dans les flammes destinées à sécher le lin ? Ce serait plus sûr que de l'envoyer aux framboises... Marie-Louise ! Marie-Louise !

Les jeunes gens chuchotent. Celui-ci dit : « Elle est folle ! » Celui-là : « D'où peut-elle venir ? » Elle se met à fouiller la *braierie*, soulevant les bottes de lin, tournant derrière les grands arbres, écartant les branches serrées des noisetiers et des saules, et criant toujours :

– Marie-Louise ! Marie-Louise !

Elle reprit le sentier qui conduisait au grand chemin et monta la côte. Debout, près de leurs *braies* muettes, ses amis de naguère, saisis d'étonnement, la regardaient monter.

II

L'auberge de la Colombe victorieuse

Lorsque Asselin fit une corvée pour *brayer* son lin, il y avait un mois que le muet avait été arrêté. Asselin savait ce qui s'était passé depuis l'incarcération du jeune homme, mais il ne savait pas la cause de la folie de Geneviève, et il soupçonna quelque crime nouveau. Quand il l'entendit appeler l'enfant, il éprouva de la joie, car il pensa :

« La petite est donc encore une fois perdue ! »

Nous laisserons les jeunes gens deviser sur l'incident qui a suspendu leur travail, et réparer le temps perdu par un redoublement d'ardeur ; nous laisserons M. et Mᵐᵉ Asselin songer, la tête basse, aux paroles singulières de Geneviève, et nous raconterons ce qui s'est passé depuis ce temps, et ce qu'ont fait les personnages avec lesquels nous avons lié connaissance.

Le jour même de la condamnation du muet avait eu lieu, dans la rue Champlain, un petit événement qui n'intéressa pas tout le monde, mais qui avait fort intrigué la bonne femme Labourique. Les contrevents épais de la maison d'en face s'étaient ouverts, comme des yeux endormis depuis longtemps, et la lumière avait joué sous les vieux plafonds enfumés. Des meubles avaient été apportés. Des femmes s'étaient occupées à laver les vitres poudreuses, les planchers et les murs couverte d'arabesques faites au charbon. L'hôtelière de *l'Oiseau de proie*, assise dans sa fenêtre avec la Louise, avait pris un certain plaisir à voir la vie rentrer dans la solitaire demeure. Elle disait :

– S'il y a des filles chez nos voisins nouveaux, tu iras les voir, elles viendront ici, cela te désennuiera.

– S'il y a des jeunes gens, répondait la Louise, ils ne manqueront pas, j'espère, de se joindre à vos pratiques.

– Ce sera toujours quelques sous de plus.

Pendant que les deux femmes causent tranquillement, les yeux fixés sur la maison nouvellement louée, un homme appuie une échelle contre le mur de cette maison, vis-à-vis la porte.

– Que veut-il donc faire de cette échelle ? demande la Louise avec indifférence.

– Je n'en sais rien. Il n'y a rien à peinturer pourtant.

Un moment après, l'homme montait dans l'échelle, se tenant, d'une main, aux barreaux, et, de l'autre, portant quelque chose en bois qui ressemblait à une enseigne. La vieille Labourique frémit. La Louise dit :

– Sainte mère de Dieu ! est-ce qu'on va tenir une auberge dans cette maison ?

– C'est comme cela, repart la vieille, c'est comme cela ! si vous gagnez votre vie un peu honnêtement, tout en travaillant beaucoup, l'on vient de suite, se jeter en travers dans votre chemin et vous couper les vivres. Est-ce juste ?

– Nous sommes venues les premières ici et nous y resterons ! nous lutterons ! nous avons des amis.

Pendant que le dépit gonfle le cœur de la mère et le cœur de la fille, l'enseigne est clouée au-dessus de la porte. La mère Labourique n'y peut tenir ; elle se lève et fait un tour dans la chambre, en frappant du pied, et en menaçant de la main.

– Oui ! c'est de la provocation, cela, dit-elle, c'est de la malice toute pure ! Ah ! l'on veut nous abattre, nous mettre dans la rue ! eh bien ! rira bien qui rira le dernier ! La mère Labourique a encore du sang dans les veines !...

Elle s'approche de la fenêtre.

– Qu'est-ce qu'il y a d'écrit au bas de ces oiseaux ? Peux-tu lire ?

– Oui, mère : « La Colombe victorieuse. »

– Ah ! je le savais bien, reprend la bonne femme, en marchant et gesticulant de nouveau, je le savais bien que c'était une provocation !...

L'enseigne que l'on venait d'apercevoir était la contrepartie de celle de l'*Oiseau de proie*. Une colombe blanche tenait, sous ses pieds délicats, un énorme oiseau peint en rouge et armé de longues griffes et d'un bec crochu. Cette enseigne ressemblait, en effet, à une provocation ; pourtant la nouvelle hôtelière n'avait pas songé à malice. Elle avait trouvé l'idée originale ; et, comme le succès tient souvent à un détail insignifiant, elle arbora *la Colombe victorieuse*.

C'était donc une femme encore qui ouvrait cette cantine. La mère Labourique se serait crue moins offensée si c'eût été un homme. Chose plus singulière, cette femme n'avait, elle aussi, qu'une fille ; mais Emmélie était un beau brin de jeunesse, et quand elle mit la tête à la fenêtre pour la première fois, et qu'un rayon de soleil illumina sa blonde figure, la Louise se sentit mordre au cœur par la jalousie.

La nouvelle hôtelière pouvait être âgée de quarante cinq ans. Une profonde tristesse se lisait sur ses joues pâles. Elle avait souffert ; son œil doux et voilé le disait. Quand elle souriait, l'amertume coulait sur ses lèvres. Elle venait de vendre une terre qu'elle possédait depuis nombre d'années dans l'une des paroisses d'en bas. Ses amis l'avaient conseillée d'ouvrir, à la ville, une maison de pension, près de la Place ou du marché. Elle aurait, pensaient-ils, moins de fatigue et plus de profit. La culture paie si peu quand on ne travaille pas soi-même, et qu'il faut tout confier aux étrangers !

Lorsque les habitués de *l'Oiseau de proie* redescendirent à la Basse-Ville, dans la relevée, après la condamnation du prétendu voleur, ils furent singulièrement surpris de trouver ouverte la maison depuis longtemps inhabitée, et plus surpris encore de voir l'enseigne provocatrice. Le chef entre le premier chez la mère Labourique.

– Bigraille ! la mère, on va boire à bon marché ! il y a compétition.

– Je ne sais pas quel est cette gueuse-là, répondit la vieille mégère.

– Le soleil luit pour tout le monde !

C'était Picounoc qui se permettait cette observation. L'aubergiste le regarda de travers :

– C'est comme cela, dit-elle, on se sacrifie toute sa vie, on ruine sa santé pour faire plaisir à ces messieurs et les servir comme il faut, et voilà comme il sont reconnaissants.

– Ne vous fâchez pas, la mère, on ne vous abandonnera pas, continua le jeune homme ; on boira tout autant de mauvais rhum que par le passé, on mangera tout autant d'omelettes au lard rance.

– Du mauvais rhum ! du lard rance ! l'entendez-vous ? Il mériterait d'être foudroyé sur le champ.

– Par les yeux de cette jolie fille ! ajouta Picounoc, qui venait d'apercevoir et montrait de la main la fille de *la Colombe victorieuse*.

La Louise se mordit les lèvres et sortit. Tout le monde regarda la belle voisine. Le maître d'école jura qu'on n'en trouvait pas d'aussi mignonnes derrière tous les rideaux. Les gens de cage se promirent de l'aller voir de plus près.

– Allez ! allez ! reprit la bonne femme Labourique, froissée, vous êtes libres. Vous n'avez pas ce que vous désirez avoir ici. On vous soigne au bout de la fourche.

– Hé ! la mère, apaisez-vous ! apaisez-vous !... Ce que l'on boira à *la Colombe* sera du surplus. On ne prendra pas une goutte de moins ici, pour cela. Vous ne perdrez rien, et nous gagnerons quelque chose.

– C'est cela ! Picounoc, c'est cela ! dirent les autres.

La jeune fille, voyant qu'on la regarde, s'est retirée.

– Mère, dit-elle à la nouvelle hôtelière qui range les carafes et les verres sur les tablettes à peine achevées, mère, il entre beaucoup de monde dans l'auberge d'en face ; c'est curieux que personne ne vienne ici ; notre maison a pourtant l'air propre, et nos liqueurs doivent être bonnes.

– Ce sont des habitués, peut-être, des gens de la ville. Les étrangers viendront ici, comme ils pourraient aller là.

La porte s'ouvre pendant que l'hôtelière parle, et deux jeunes garçons entrent. Ce sont l'ex-élève de troisième et Sanschagrin. On les reçoit avec politesse. Emmélie leur présente des chaises. Elle a l'air gênée : une rougeur subite colore ses joues.

Les deux amis causèrent longtemps avec les hôtes et burent assez peu. Quand ils se retirèrent, le soir était venu. Ils étaient tristes tous deux, à cause du châtiment infligé à leur jeune camarade. L'ex-élève emportait dans son cœur l'image fraîche et souriante de la jeune fille. Il alla rêver dans les endroits déserts de la ville, loin du bruit et de la foule. Emmélie prit son aiguille et se mit à coudre, près de la fenêtre ; et pendant que ses yeux bleus suivaient les points réguliers que formait le fil dans l'indienne, ses pensées se promenaient avec le charmant garçon qui venait de sortir.

La vieille Labourique avait vu l'ex-élève et son camarade entrer à *la Colombe victorieuse* :

– On connaît les saintes nitouches ! avait-elle marmotté entre ses dents, on connaît les rongeurs de balustres !...

– Je vous l'ai dit, l'autre jour, ces gens-là, avaient besoin de conversion, ils se sont convertis : c'est naturel !

– Veux-tu dire, Picounoc, que ceux qui fréquentent ma maison sont des coquins, ou des libertins, ou des voleurs ?

– Tut ! tut ! tut ! la mère, je me respecte plus que cela... Si je ne venais pas ici, je ne dis pas, mais...

– Vous ne demandez pas de nouvelles du procès, mère Labourique ? fit le maître d'école.

– Ces affaires-là me l'ont fait oublier (elle parlait de l'auberge voisine). A-t-il été trouvé coupable ?... Contez-moi donc cela.

– Coupable ? oui ! pour le sûr. Et la preuve a été accablante, continua Racette.

– Je n'aurais jamais pensé cela de lui ! ça m'étonne, et j'en ai du chagrin. Je le regardais comme mon enfant, quoi ! vous le savez bien. Et quelle punition a-t-il ?

– Cinq ans de pénitencier.

– Cinq ans de pénitencier ! mais c'est bien long ; c'est trop !

– Pour un fripon de l'espèce, ce n'est pas assez.

– Monsieur Racette, vous êtes sévère.

– C'est la justice ! Il faut que les honnêtes gens soient protégés, il faut que la canaille soit traquée jusqu'en ses retraites les plus cachées.

– Bien dit ! fit le chef en se frappant dans les mains.

– Bien dit ! répétèrent les autres.

– As-tu remarqué, Picounoc, demande Poussedon à son ami, as-tu remarqué cet habitant qui disait, en sortant de la Cour, que la sentence est injuste et que Djos n'est point le coupable ?

– Je n'ai rien remarqué du tout, répond Picounoc.

– Un habitant disait cela ? reprend le maître d'école.

– Oui !... Quand je dis un habitant, je veux dire un homme habillé d'étoffe grise et chaussé de bottes tannées.

– Tu l'as entendu, toi ?

– Oui, monsieur Racette, je l'ai entendu comme je vous entends : c'est clair, n'est-ce pas ?

Et que disait-il ?

– Tord-flèches ! je viens de vous le rapporter, il criait à tous ceux qui voulaient ou ne voulaient pas l'entendre : « Ce jugement est injuste ! ce jeune homme n'est pas le voleur ! Il faut que cette affaire se débrouille ! » *et cætera, et cætera !...*

« C'est singulier ! » pense le chef, et il ajoute tout haut :

– Est-ce tout ce qu'il a dit ?

– Je pense qu'il s'est proposé d'aller voir un avocat à ce sujet.

– Un avocat ?... Sais-tu, lequel ? a-t-il prononcé son nom ?

– Allez le lui demander, moi je ne le sais pas.

– Merci, mon garçon.

– Il n'y a pas de quoi, père.

Le chef était inquiet, et ses compagnons lisaient, sur sa figure méchante, l'anxiété de son âme. Robert dit, comme pour redonner de l'assurance aux autres :

– Bah ! une chose jugée est jugée : on n'y revient plus.

Le chef était morose. Après un instant de silence on l'entendit murmurer :

– Je voudrais bien connaître cet habitant !... Il faut que je le trouve !...

III

Amo te

L'ex-élève revint chaque jour à *la Colombe victorieuse*. La mère Labourique le prit en aversion et lui garda rancune. Emmélie se plaisait à l'entendre parler de ses voyages et des chantiers. Il était gai, ce Paul ; il racontait avec verve, et ne se gênait pas de glisser des mots latins dans ses discours. Cela faisait rire : c'est tout ce qu'il voulait. Une aimable familiarité s'établit bientôt entre les deux jeunes gens ; un sentiment doux et mystérieux s'éveilla dans le cœur de la jeune fille. Elle ne le combattit point, mais se laissa bercer par ces douces rêveries qui révèlent l'amour, comme les vapeurs révèlent la chaleur des sillons nouveaux... L'ex-élève devina bien la cause du trouble de sa nouvelle amie, et comprit le langage de ses grand yeux d'azur. Il en fut étourdi de bonheur. Jamais il n'avait osé croire qu'une belle femme pût l'aimer sérieusement. Pendant quelques jours, il oublia tout : compagnons, famille, chantiers, pour se plonger dans les douceurs de cet amour pur et sans remords. Il se sentait aimé, il aimait de toute son âme, et pourtant, il n'avait pas dit une parole qui pût trahir son secret, il n'avait pas reçu le plus mince des aveux. Mais ceux qui ont aimé – et où sont les malheureux qui n'ont pas bu à la coupe divine d'un amour pur, au moins une fois dans leur vie ? –, ceux qui ont aimé et qui ont été aimés savent bien que les premiers et les plus doux aveux sont portés, d'un cœur à l'autre, sur les rayons de ces regards longs et suaves qui se rencontrent, se mêlent, se confondent, et font tressaillir tout notre être d'une indicible ivresse. L'ex-élève et Emmélie s'aimaient donc en silence, et n'osaient avouer tout haut ce qui faisait leur délice.

Plusieurs des garçons de chantier, rassasiés des faciles plaisirs qu'ils avaient goûtés à la ville depuis leur arrivée, se préparaient à aller dans leurs familles, voir la vieille mère, voir le père, les frères et les sœurs oubliés trop longtemps. L'ex-élève voulut aussi se rendre dans sa paroisse natale, avant de repartir pour les hauts. Il était de Deschambault. Son père et sa mère vivaient encore, et la maison paternelle était richement peuplée d'enfants.

« Je ne partirai pas d'ici, pensait-il, sans avoir fait ma déclaration à Emmélie. Le premier est toujours le premier. D'autres peuvent se présenter en mon absence, et qui sait ?... »

Faire sa déclaration, cela devint son idée fixe : il ne put s'en débarrasser. Cette idée le faisait souffrir et trembler tour à tour, le remplissait d'espoir et de crainte, de douceur et de trouble.

Il entre plein de cette pensée, un jour de soleil, à *la Colombe victorieuse*. Cette fois il est pâle et il ne sait que dire, lui d'ordinaire si jaseur. Emmélie vient s'asseoir près de lui avec son tricot : elle est rieuse et paraît ne se douter de rien.

– Je vais partir, Emmélie, dit-il après quelques instants, en poussant un gros soupir.

– Vous allez partir ?... répète la voix fraîche de la jeune fille, où allez-vous ?

– Dans ma famille.

– Pour longtemps ?

– Quinze jours ou trois semaines.

– Ah !...

Cette exclamation signifiait à coup sûr : « Pas plus longtemps ! » L'ex-élève sent un froid dans le fond du cœur. Il reste un moment sans rien dire. Puis, ramassant ses forces, il reprend :

– Vous ne trouvez pas cela bien long, vous ; mais moi !...

– Je croyais que vous partiez pour les chantiers.

– Je monterai dans les bois ensuite.

– Pour tout l'hiver ?

– Pour tout l'hiver, et peut-être une partie de l'été...

La jeune fille baisse la tête :

– Viendrez-vous à Québec, dit-elle, avant de partir ?

– Peut-être.

– Pourquoi ne viendriez-vous pas ?

– Pourquoi y viendrais-je ?

Emmélie reste à son tour longtemps silencieuse ; à la fin elle dit :

– Vous avez sans doute quelque bonne amie à voir avant de vous éloigner pour un temps si long ?

L'ex-élève fixe sur Emmélie un regard plein de tendresse et de reproches. Elle ne peut soutenir ce regard qui la trouble et elle se met à jouer avec ses broches, faisant et défaisant les mailles de son tricot.

– Personne ne tient à me voir, moi, continue l'amoureux garçon.

– Personne ? repart Emmélie en lui rendant son regard éloquent.

– Connaissez-vous quelqu'un ?

– Oui !

– Qui donc ?

La jeune fille ne répond pas.

– Ô Emmélie, si c'était vous !

Emmélie se détourne. Une larme mouille ses cils blonds.

L'ex-élève, dans un transport délicieux, lui saisit les deux mains :

– Emmélie, s'écrie-t-il, je vous aime !

Emmélie sourit et dit après un instant de silence.

– Ne soyez pas longtemps à Deschambault.

– Emmélie, m'aimez-vous ?

– Méchant ! va !

– Dites-le moi !... Il est si doux d'entendre dire : je vous aime ! oh ! dites-le moi !... si vous m'aimez...

– Vous le voyez bien pourtant !...

– Jamais personne ne m'a dit à moi : je vous aime ! jamais !

– Je vous aime !

La voix qui murmure ce tendre aveu est si timide, si faible que l'ex-élève l'ouït à peine... mais elle résonne dans la fond de son âme comme une musique suave, et le fait tressaillir, comme la voix des oiseaux qui se poursuivent ou se recherchent, sous les bois, fait tressaillir le feuillage.

Les heures qui suivirent furent des heures de délices. On ne décrit point les sensations de ces moments ineffables. On ne s'en rend presque pas compte. On oublie tout, douleurs, regrets, haines, plaisirs, espoirs, pour se plonger dans une pensée unique : je suis aimé ! On laisse la terre et ses bruits, on plane haut dans le ciel calme ; on flotte dans un océan de voluptés ; on se laisse emporter par un souffle divin ; et il semble que l'on monte toujours, toujours vers un soleil radieux qui nous attire.

Plusieurs habitants entrèrent à *la Colombe victorieuse* et causèrent en sablant quelques verres de liqueurs.

Quand l'ex-élève sortit, il y avait de l'éclat dans ses yeux, des rayons sur sa figure. Il souriait. Les vieilles maisons de la rue Champlain lui parurent propres et coquettes ; il trouva des parfums dans l'air méphitique, et du soleil dans les rues sombres. Il avait besoin d'épancher son bonheur, de jaser follement, de rire à tout le monde. Il entra chez la mère Labourique.

– Bonjour ! Paul, bonjour ! monsieur l'amoureux ! lui crièrent ses amis.

– Bonjour ! les vieux, bonjour !

– On voit bien qu'il y a une jolie fille de l'autre coté de la rue, vous ne mettez plus les pieds ici, débite la vieille hôtelière, d'une voix amère et sèche.

– *Virgo virginum !* répond l'ex-élève, heureux de retrouver son latin.

Picounoc, qui avait aussi fait plusieurs visites à l'auberge voisine, ajoute :

– C'est une vraie belle fille, en effet.

– Comme rare de créatures ! continue Lefendu.

Picounoc reprend :

– Paul, je t'avertis, fais bonne garde, je t'enlève ton amour.

– Trop tard, mon cher, trop tard !

– Es-tu déjà si avancé ?

– Belle demande !

– Comment as-tu dit cela ?

– J'ai dit : « *Amo te !* »

– Et elle ?

– Elle ? bien ! elle m'a répondu : « Amo te ! »

– Et toi ?

21/176

– Moi ? j'ai dit : « À la vie, à la mort, *usque ad mortem !...*

– Et elle ?

– Elle ? Batiscan ! elle a dit que vous êtes une bande de farceurs.

On éclate de rire.

– Y a-t-il beaucoup de gens qui fréquentent cette maison, demande l'hôtelière.

– Tous les honnêtes gens !

– Et la canaille vient ici, je suppose, réplique-t-elle, d'un air mécontent.

– Vous n'entendez plus la risée, mère Labourique ; je badine et vous vous fâchez ?

– Quand je parle, j'aime bien qu'on me réponde.

– Il rentre assez de gens, en effet, dans cet hôtel. Tout y est si propre, si net, si bien arrangé.

– Ce n'est pas comme ici ! marmotte la vieille.

– Cela se comprend, observe le chef des voleurs, l'intérieur a été repeint à neuf, et puis il faut attirer les pratiques.

– Les habitants qui y sont entrés, tantôt, en sont-ils partis ? recommence l'aubergiste, d'un ton un peu radouci.

– Non madame, ils vont souper.

– D'où viennent-ils ?

– Il y en a un du Cap-Santé et deux de Saint-Thomas. Savez-vous, continue l'ex-élève, en s'adressant aux autres, que cet habitant du Cap-Santé est venu à Québec pour parler du vol de Lotbinière aux avocats ? C'est le même qui a dit en sortant de l'audience : « Cette sentence est injuste, et ce garçon n'est pas le voleur !... » vous vous en souvenez ?

Il y eut un mouvement de surprise parmi les brigands. Cependant le chef reprit son sang-froid et tâcha de savoir, par des questions subtiles, ce que voulait dire ou voulait faire cet habitant.

L'ex-élève lui fit part de ce qu'il avait appris. Alors le chef proposa d'aller prendre un verre avec ces braves cultivateurs, à l'auberge de *la Colombe victorieuse*. Sa proposition fut acceptée de tous. Il s'approcha de Charlot, lui glissa un mot à l'oreille et fit un geste de la main. Charlot répondit par un signe de tête.

IV

Pressentiments

La renommée, sur ses ailes infatigables, porta vite dans toutes les paroisses la nouvelle de la culpabilité et de la condamnation du muet. Il y eut partout un soupir de soulagement : la société gardait dans son sein un scélérat de moins. Elle se trouvait plus à l'aise. On ne soupçonne pas la justice. Comme la femme de César, elle ne doit pas être souillée par l'ombre d'un soupçon ! À l'abri de son immense égide, cette femme noble et sévère, cette vierge froide et rigoureuse, la justice, se rend coupable cependant de plus d'un amoureux larcin. Mais jetons le voile.

Eusèbe Asselin ne trouvait pas avoir payé trop cher la condamnation de son pupille, et sa femme n'était pas loin de partager son opinion. Le mutisme de Djos n'était plus un secret pour eux. Racette avait appris, des gens de chantier, la terrible punition dont ce garçon blasphémateur avait été frappé. Il l'avait fait connaître, de suite, à son beau-frère, qui se garda bien d'en parler à d'autres qu'à sa femme. Le secret fut bien caché dans la famille. La première fois qu'Eusèbe rencontra Bélanger après le procès, il lui dit :

– Eh bien ! avais-je tort de chasser ce garçon-là ?... Mon pupille ! mon pupille ! lui, l'enfant de ma sœur !... Ah ! je le savais bien... On ne se joue pas de moi facilement... Si j'avais voulu vous écouter, où en serais-je à cette heure ?

– C'est vrai ! répondit Bélanger, mais il faut qu'il soit bien fin pour jouer son rôle comme il l'a fait : il faut que le diable l'ait inspiré, pour avoir pu répondre à mes questions d'une manière si juste.

– Il s'était renseigné, avant de venir ici.

– Et cette douleur ? ces larmes ? cette affection pour tout ce qui appartenait aux défunts ?

– C'était de la comédie. Il y a de ces gens qui se transforment comme ils le veulent : ils prennent tous les airs, toutes les figures ; ils rient et pleurent en moins de temps qu'il en faut pour le dire, et l'on jurerait que tout cela est vrai, sérieux, naturel. Mais le bon Dieu n'a pas permis qu'il échappât. Remarquez-le, on dirait qu'il aveugle les scélérats, et qu'il fait commettre aux plus rusés des imprudences que les plus simples éviteraient.

Asselin n'épargna nul de ceux qui s'étaient constitués les amis ou les défenseurs de sa victime. Mme Asselin fut plus implacable encore.

La petite Noémie Bélanger paraît triste depuis le fatal dénouement du procès. Elle ne chante plus en allant traire les vaches, et prie pour être délivrée de ces liens mystérieux qui l'attachent au malheureux garçon, liens plus forts et plus durs que ceux d'une simple amitié. Elle sent bien que son cœur sans défiance s'est laissé prendre, et elle veut revenir à l'indifférence. Hélas ! le cœur qui s'est donné à l'amour ne se délivre pas aisément de ses chaînes ; il est comme l'oiseau qui ouvre ses ailes captives dans une cage étroite. Il s'élance vers la liberté, mais il retombe sans cesse plus triste et plus meurtri. Une voix mystérieuse dit à la jeune fille que son ami n'est point coupable ; mais elle s'efforce d'imposer silence à cette voix qu'elle croit menteuse. Quelquefois elle a honte d'avoir été la dupe de ce jeune étranger, qui n'a fait que passer, en quelque sorte, dans le village, et elle pense que ses compagnes auraient été plus prudentes et plus sages qu'elle-même. Le souvenir des trois individus qui se sont montrés soudain à ses yeux et se sont ensuite cachés pour n'être plus vus de personne, le soir même du vol, surgit dans son esprit comme une brume dans la plaine, et l'empêche de saisir l'enchaînement des choses qui se sont alors passées, comme la brume empêche de voir la lisière de la forêt. Elle est heureuse parfois de pouvoir douter. Quelques-unes de ses amies, les plus malignes, celles qui n'auraient pas dédaigné le joli muet, lui font des compliments moqueurs dont elle ne s'offense point, croyant les mériter. Chaque fois qu'elle passe devant la maison déserte des pupilles, elle éprouve une angoisse. La pensée du muet revient plus vive, et l'orgueil blessé lutte dans son âme contre l'amour perdu.

Depuis l'arrestation du pèlerin, dans la famille Lepage, au Château-Richer, un nuage avait obscurci la sérénité qui remplissait le cœur repentant de Geneviève, et ce nuage portait la tempête dans son flanc. Geneviève se croyait à l'abri des insultes ou de reproches de son ancien maître, dans cette maison calme, loin de la ville et loin du monde.

« Comment, pensait-elle, pourra-t-il jamais deviner que je suis ici avec la petite Marie-Louise ? Il me croit encore au presbytère de Beauport ; il sait que j'ai des protecteurs ; il va craindre leur courroux. »

Et confiante en son heureux sort, elle se reposait dans une paix profonde. Fortement attachée à l'enfant, elle la suivait partout, veillait sur ses jours avec la sollicitude d'une mère, lui ménageait mille surprises agréables, et lui parlait souvent des parents dévoués que le bon Dieu avait sitôt appelés à lui. La petite Marie-Louise, qui n'avait jamais entendu une parole affectueuse, ne comprenait point l'amitié dont elle était l'objet, et demandait naïvement pourquoi on l'aimait et ne la battait jamais. Mᵐᵉ Lepage s'était vite attachée, elle-aussi, à sa fille adoptive. Elle ne l'avait près d'elle que depuis quelques jours, et déjà elle faisait des projets riants pour son avenir. On avait parlé, en famille, de la mettre au couvent. M. Lepage voulait en faire une demoiselle. Mᵐᵉ Lepage voyait arriver à la porte, dans ses rêves un peu vains, les *cavaliers* jeunes, riches et farauds ; Geneviève se la représentait dans l'habit de bure et sous l'humble voile des religieuses. Tour à tour la petite Marie-Louise disait quelle n'abandonnerait jamais les nouveaux parents qui l'avaient adoptée, ou qu'elle serait religieuse, selon qu'elle faisait ses confidences à Geneviève ou à Mᵐᵉ Lepage.

Les jours s'écoulaient paisibles comme le beau fleuve qui dormait à la porte de la maison. Le repentir avait élevé l'âme de Geneviève à des hauteurs que n'atteignent point les miasmes du vice. Mais, avec le maître d'école, le trouble et la crainte étaient entrés dans la maison. Les menaces de Racette retentissaient continuellement aux oreilles des deux femmes, et sa colère et ses mensonges les remplissaient de mépris et de terreur. Geneviève était devenues triste et n'osait guère sortir. La nuit, des rêves pénibles troublaient son sommeil, et quand s'ouvraient ses paupières, elle croyait voir le monstre s'avancer dans les ténèbres à pas lents vers sa couche pudique. Elle essaya de chasser comme des folies ces pensées et ces craintes. Ce fut en vain. Pauvre Geneviève, tu peux redouter les desseins pervers de ton ennemi ! Il nourrit des projets de vengeance ! Il n'a pas oublié ses premières amours, et ta vertu l'aiguillonne ! Il n'a pas oublié tes paroles courageuses et ton noble mépris, et la haine, non moins que l'amour, tourmente son cœur. Il te retrouvera : il l'a juré. Il soustraira l'enfant à ta garde sainte : il l'a juré. Il ne se repose plus ; il jouit d'avance de son triomphe facile. Il se délecte dans l'image de tes souffrances prochaines ; il se flatte d'être le favori de la fortune. Il n'est plus seul à te poursuivre. Comme le démon de l'Évangile, il est allé chercher des démons plus méchants que lui, s'il est possible, et tous ils viendront pour te surprendre ! Pauvre Geneviève, tu as raison de t'abandonner à la tristesse et de verser des pleurs !

Marie-Louise a vite oublié les événements dont le souvenir empoisonne l'existence de sa protectrice. Dans sa jeune âme les sensations ne se gravent que légèrement, et les images s'effacent vite. Les enfants sont comme le sable des rivages : la dernière vague qui passe efface les traces de la vague précédente, et les impressions d'aujourd'hui font oublier les impressions d'hier.

La petite orpheline, aimée, choyée, caressée, devient vive et joyeuse. La pâleur de ses joues fait place à l'incarnat, la gaieté pétille dans ses prunelles jusqu'alors pleines de tristesse. Dans son heureuse insouciance, elle s'ébat comme les éphémères capricieuses qu'un rayon du matin fait naître et qu'un souffle du soir emporte. Son sommeil est calme, car son lit est moelleux et ses couvertures sont chaudes. Elle fait des songes agréables, car elle est aimée.

Le maître d'école s'empressa d'annoncer à son beau-frère l'heureuse découverte que le hasard lui avait permis de faire.

– Décidément, répondit Asselin grisé par la chance, le ciel est pour nous !

– C'est un beau coup de filet, répliqua le maître d'école : trois ! Geneviève et les deux pupilles. Et cela quand tout espoir semblait perdu.

– Les deux beaux-frères causèrent longtemps ainsi, à l'auberge de *l'Oiseau de proie*, le soir même de l'arrestation du muet. Asselin demanda à Racette quand il se proposait de prendre sa revanche, et d'enlever l'enfant.

– Il faut laisser s'instruire le procès du muet auparavant, avait répondu le beau-frère.

– Prends-garde qu'elles ne t'échappent encore !

– Elles ne seront pas assez fines cette fois. En tous cas, je les dépisterai bien encore.

– Tu aurais fait mieux de ne pas tant insister pour avoir l'enfant : on aurait eu moins de soupçons ; on aurait veillé avec moins de vigilance.

– Peut-être !... N'importe ! c'est fait. Je surveillerai la maison. J'ai des amis dévoués. Et puis l'on fait parler les habitants qui viennent au marché. Dans deux ou trois semaines, l'affaire aura été oubliée ; la paix sera revenue dans la maison de Lepage, et tout le monde s'endormira dans une funeste confiance. Alors...

V

Charlot s'exerce la main

Les habitués de *l'Oiseau de proie* suivirent le bonhomme Saint-Pierre à l'hôtel de *la Colombe victorieuse*. Voleurs et gens de cage marchaient bras dessus bras dessous. Pour être juste envers tout le monde, nous avouerons que les derniers ne connaissaient point l'infâme et dangereux métier de leurs amis d'un jour. Lefendu, Poussedon et plusieurs autres étaient riches de défauts, mais ils avaient encore des qualités : ils étaient ivrognes, sacreurs et libertins, mais, à l'exception de Picounoc, ils respectaient le bien d'autrui. Ils n'auraient pas voulu, pour beaucoup, être appelés voleurs, et ils se vantaient de boire et de blasphémer mieux que tout le monde.

L'ex-élève, tout à ses rêves d'amour, se sépara de ses compagnons et se dirigea vers les petits bateaux échoués sur la grève. Il voulait savoir l'heure du départ, car il s'embarquait le lendemain pour Deschambault.

La maîtresse de *la Colombe victorieuse* fut ravie de voir entrer à la fois tant de personnes dans sa maison encore inconnue. Les trois habitants se levèrent et souhaitèrent le bonjour aux arrivants, avec la politesse exquise que l'on cultive si bien dans nos campagnes. Les brigands et les hommes de chantier rendirent le salut avec une évidente affectation. Le chef s'approcha du comptoir.

– Messieurs, dit-il aux habitants, voulez-vous prendre un verre avec nous autres ?

– Bien des mercis ! monsieur, répondirent-ils, nous venons de prendre.

– Cela ne fait rien, repartit le chef, approchez donc ! Nous n'avons pas l'honneur de vous connaître, mais la connaissance se fait vite.

– Quant à cela, c'est bien vrai ! répliqua l'un des cultivateurs.

– Versez à tout le monde, madame, commanda Saint-Pierre.

L'hôtelière mit plusieurs carafes sur le plateau luisant. Tout le monde s'approcha, les trois cultivateurs comme les autres.

– Que prenez-vous, messieurs ?

Chacun choisit sa liqueur préférée. Le rhum fut jugé plus fort et plus pur que celui de la Labourique.

« C'est une bonne maison, pensèrent les brigands : nous y reviendrons. »

La conversation s'engagea. On parla d'abord du beau temps et de la récolte, puis on en vint à parler du jeune voleur que la justice avait arrêté dans ses beaux exploits.

– Mille noms d'une pipe ! commence le chef, ce garçon paraissait pourtant bien honnête.

– Est-ce que l'on connaît les gens à les voir ? continue le charlatan.

– Honnête ? monsieur, reprit avec feu l'un des habitants, honnête ? ce garçon-là ? oui, il l'est, j'en suis sûr !

– Comment pouvez-vous affirmer cela, vous, monsieur ? le procès à eu lieu, la preuve a été accablante, le jugement, approuvé de tout le public !

– C'était le docteur au sirop de la vie éternelle qui prenait la défense du tribunal.

– Ah ! monsieur, si vous saviez ce que je sais, vous verriez bien que les tribunaux peuvent se tromper, et que la justice a souvent un bandeau sur les yeux !

– Mais que savez-vous donc, vous, que les avocats et le juge n'ont pu savoir ?

– Je sais que ce jeune homme n'a pas commis le vol pour lequel il a été condamné. Je ne dis pas qu'il n'a jamais volé, jamais fait de mal, jamais mérité de punition ; je ne le connais point ; mais pour ce vol...

L'habitant achève sa phrase par une secousse de tête.

– Si vous saviez que cet homme est innocent, vous auriez dû venir rendre témoignage en sa faveur, observe le chef ; il est trop tard maintenant.

– Pardon ! il n'est jamais trop tard.

– Qu'allez-vous faire ?

– Je vais raconter ce que je sais, ce que j'ai vu, ce que j'ai fait. J'ai déjà consulté un avocat à ce sujet, et l'affaire va marcher. C'est sérieux, voyez-vous.

– Oui, cinq ans de pénitencier, murmure le charlatan un peu rêveur.

– Si nous pouvons vous aider en quelque chose, cher monsieur, dit le chef, nous le ferons de tout cœur. Tous les honnêtes gens doivent s'unir pour faire triompher la vérité comme pour écraser le mal.

– Ce que vous dites là est vrai, monsieur, observe à son tour l'un des habitants de Saint-Thomas, et quand vous saurez ce que M. Pagé nous a raconté, vous jugerez, comme lui et comme nous, que le muet est innocent ; plus que cela, vous comprendrez qu'il est la victime de quelques monstres indignes d'être appelés des hommes.

Les voleurs se mordaient les lèvres.

– Il me tarde de savoir les moyens que vous avez de sauver ce pauvre jeune homme, recommence le chef. Je m'intéresse à lui sans beaucoup le connaître ; je ne l'ai vu que quelquefois à l'auberge ; mais sa figure me revenait. Et puis il est si triste de voir souffrir l'innocence.

– Ce ne sera pas long, réplique Pagé, je vais vous exposer les raisons que j'ai de parler comme je le fais.

Alors il dit que le matin même qui suivit la nuit du vol, lui Pagé, il avait sauvé un canot qui descendait à la dérive, plein d'eau, et que l'accusé, solidement lié avec de fortes courroies, était couché dans ce canot.

– Cela pouvait être une ruse du voleur, remarque l'un des brigands.

– Une ruse ? reprend l'habitant ; vous croyez ça, vous ? Il avait les mains attachées derrière le dos, et les pieds presque coupés par les cordes. Une minute de plus, il se noyait ; c'était fini : l'eau en passant sur l'embarcation la fit chavirer. J'ai encore le canot chez moi : une auge toute fendue, quoi ! Je ne voudrais pas faire dix arpents dedans, même avec un bon aviron à la main. Ce pauvre garçon pleurait de joie quand je l'ai déposé sur le rivage... Ah ! il l'a échappé belle ! Il doit un beau cierge à son patron !

– Diable ! c'est étonnant, dit le chef.

– Oui, monsieur, c'est étonnant ; mais c'est comme cela, vous pouvez demander à Flavien Richard, si jamais vous le rencontrez ; il était sur la grève quand je suis revenu avec le noyé ; car j'appelle cela un noyé, moi, un homme qui se promène ainsi, tout enchaîné, dans un canot pourri et plein d'eau.

– Et l'on ne soupçonne personne à Lotbinière ?

– Les voleurs devaient être nombreux, car un gros garçon comme le muet ne se laisse pas garrotter par des femmes. Il paraît qu'une jeune fille qui demeure près de chez Asselin, a vu trois étrangers vers le soir ; même que ces polissons l'auraient embrassée pendant qu'elle trayait ses vaches, dans le coin du clos. On saura le court et le long de cette histoire : les avocats vont demander un nouveau procès, et l'on fera paraître de nouveaux témoins. Si la justice est trop lente, le peuple abrégera les formalités...

– Vous serez un bon témoin, vous ?

– Moi ? je sauve ce garçon, ou il n'y a pas de justice au monde. J'étais à la Cour quand la sentence a été prononcée ; j'avais un moment à perdre. Je suis bien content, aujourd'hui, d'avoir été curieux une fois dans ma vie. Je n'avais pas entendu parler de ce procès, mais j'ai bien reconnu le jeune homme. Je me suis fait expliquer l'affaire. J'ai demandé la date du vol, le nom de l'endroit où il a été commis, et j'ai compris de suite qu'il y avait méprise, et que le malheureux accusé était la victime des voleurs, plutôt que le voleur lui-même. Je ne me suis pas gêné de le dire, et je le dis encore, et je le dirai toujours. Je suis descendu à Québec exprès pour cela.

Le chef se leva, car tous s'étaient assis pour causer. Il tendit la main à Pagé.

– Vous êtes un brave homme ! lui dit-il, je vous souhaite bonne chance.

Pagé offrit à son tour un verre à tous ceux qui se trouvaient dans la salle. Personne ne crut devoir refuser. La conversation continua de plus en plus animée. Le soir arrivait. Voleurs, habitants et gens de cage soupèrent à *la Colombe victorieuse*. La vieille Labourique en fut malade de dépit. Debout dans sa fenêtre aux vitres poudreuses, elle épiait l'heure où sortiraient ses habitués oublieux. Elle attendit longtemps.

Picounoc a profité du moment où chacun se déplace, pour

aborder la fille de l'hôtelière. Les yeux d'Emmélie l'attirent invinciblement. Il se plaît à regarder les boucles soyeuses de ses blonds cheveux ; il cherche à deviner les appas de sa gorge. Ses regards insolents troublent la jeune fille, et elle se tient à distance. Il lui parle de l'ex-élève. Malgré elle, la blonde enfant rougit. Il veut la questionner ; mais elle se retranche dans un mutisme discret. Il vante les qualités du jeune homme, sa gaieté extraordinaire, sa franchise admirable. Ce système réussit mieux. On se plaît toujours à entendre dire du bien de ceux que l'on aime. Emmélie devient bientôt moins défiante et cause plus librement avec le rusé Picounoc.

Petit à petit une flamme nouvelle s'allume dans le cœur du garçon débauché. Avec la passion de l'amour le plaisir s'éveille.

« Si j'étais venu le premier, pense-t-il, peut-être aurais-je eu l'amour de cette fille charmante ; maintenant, il est trop tard, elle aime... et c'est un homme de cage, comme moi, qu'elle aime ; c'est un garçon qui gagne sa vie dans les chantiers, comme moi !... Batiscan ! j'aurais bien dû venir le premier !... j'aurais été aimé !... Comme Paul Hamel je suis capable de parler à une fille ; je ne suis pas plus sot que lui ! »

Emmélie voit bien qu'il se passe quelque chose d'inusité dans l'âme de son interlocuteur, car il est distrait et cause avec moins de verve. Elle croit prudent de se retirer, et, s'excusant, elle entre dans la cuisine en fredonnant une chanson.

Picounoc la suivit des yeux : le feu de son âme montait à sa tête et jaillissait de ses prunelles.

De son côté le chef a remarqué l'hôtelière et la comparant à la Labourique, il voudrait cracher à la figure de la vieille de *l'Oiseau de proie*. C'est que la propriétaire de *la Colombe victorieuse* est une belle femme, malgré son air de souffrance, et que le vieux Saint-Pierre est un libertin.

Après le souper, les deux habitants de Saint-Thomas laissèrent l'auberge. Les autres convives s'attardèrent à la table. Ce ne fut que vers neuf heures que Pagé sortit pour retourner au bateau où son cousin Richard devait le rencontrer. Il voulut partir plus tôt, mais les voleurs le retinrent à dessein jusqu'à la nuit. Ils avaient besoin des ténèbres pour agir. Les ombres, les ténèbres, c'étaient leur élément. Ils y vivaient, s'y plongeaient, comme le poisson vit et se cache dans l'eau, comme l'oiseau nage et s'enfonce dans les airs.

L'un des brigands s'en était allé depuis une demi-heure déjà.

– Tu pars de bien bonne heure, Charlot, avait dit le chef, as-tu quelque amoureux rendez-vous ?

– Vous avez deviné juste, et je l'oubliais. L'affaire du muet m'a complètement absorbé : je ne pensais plus à Paméla, qui m'a juré d'être à la barrière Sainte-Foy au coup du canon.

– Tu as du temps devant toi.

– Pas trop. Il n'est pas galant de se faire attendre. Au reste, ma grande vertu, c'est la ponctualité : j'arrive toujours à l'heure voulue.

– On verra.

– Vous verrez.

Il salua et partit.

– Aïe ! des amitiés à Paméla ! lui cria Poussedon.

– Un bec pour moi ! dit Lefendu.

Charlot se dirige vers la Place, où gisent sur le flanc, ou sur leur fonds plats, les divers petits bateaux venus de partout. La mer est basse ; il fait noir. Quelques rares lanternes jettent, comme celles d'aujourd'hui, de pauvres et tremblants reflets vers les endroits dangereux. On dirait les doigts des morts montrant les lieux où se cachent des poignards perfides. Charlot fouille de son pied mal chaussé la boue putride de cette grève. Il cherche quelque chose. Tout à coup il se penche, ramasse un objet qu'il ne voit point, mais qu'il trouve bon, et se glisse le long du quai, dans un angle tout obscur. Il attend. Un quart d'heure s'est à peine écoulé, lorsqu'il voit passer devant une lanterne trop discrète, un homme qu'il ne reconnaît pas, mais qui doit être l'habitant du Cap-Santé. L'homme se dirige vers la Place. Il marche en murmurant sur la grève ténébreuse.

– Pagé ! est-ce toi ? demande Charlot.

– Oui ! qui est là ? toi, Richard ?

– Oui ! viens donc par ici.

– Y a-t-il plus beau ?

– Oui.

Pagé dévie de la ligne droite qu'il suit, il se rapproche du quai :

– Où es-tu ? je ne te vois pas.

– Ici !...

Pagé entre dans l'angle noir où se tient Charlot.

– Diable ! Richard, te sauves-tu ?... Il n'y a pas plus beau ici que là-bas... on enfonce dans la vase jusqu'aux genoux... Je retourne prendre l'autre chemin.

Personne ne lui répond plus.

– Viens-tu Richard ?... continue-t-il.

Pas de réponse.

– C'est un tour que tu m'as joué... tu me le paieras bien.

Il tourne le dos au quai et se dirige vers les berges. Alors Charlot s'avance sur le bout des pieds derrière lui. Il marche doucement, doucement, pour n'être pas entendu. Il a une main levée, et dans sa main, un cailloux. Quand il est assez près, il abat le cailloux de toute la force de son bras sur la tête du malheureux habitant, qui tombe la face dans la vase. Charlot, transporté par l'ivresse du sang, frappe de nouveau sa victime évanouie. Quand il juge la vie éteinte dans ce corps couvert de blessures, il s'éloigne satisfait. Et en s'en retournant il pense :

« J'ai bien fait de ne pas me servir de mon arme à feu. Un cailloux, cela tue aussi bien qu'une balle et fait moins de bruit.

VI

Une lueur d'espérance

En sortant de *la Colombe victorieuse*, le vieux Saint-Pierre, le maître d'école, le charlatan, Robert et les gens de cage étaient entrés à *l'Oiseau de proie*. La bonne femme Labourique leur dit en guise de bonjour :

– Vous avez trouvé le jeu beau.

Picounoc répondit :

– Pas le jeu comme les femmes ! Tord-flèche ! quelle adorable blonde ! J'y retournerai.

– Pourquoi n'y êtes-vous pas resté ? répliqua la vieille fortement contrariée.

– Pour avoir le plaisir d'y retourner.

La Louise ne se montra point. Elle boudait ses vieux amis. Poussedon proposa d'aller passer la nuit dans la rue Saint-Joseph. Lefendu seconda la proposition. Les voleurs promirent de les aller rejoindre pendant la nuit. Picounoc était trop absorbé dans la pensée de la jolie blonde d'en face, pour trouver des grâces aux beautés douteuses de la petite rue Saint-Joseph. Il resta à *l'Oiseau de proie*. Le chef s'étant approché de lui, tous deux se mirent à causer, comme s'ils eussent été seuls. Racette s'était jeté sur le banc et, demi-couché, la tête appuyée sur sa main, il repassait dans son esprit les incidents variés de sa nouvelle existence. Robert et le Charlatan parlaient de la vente du sirop de la vie éternelle, et du prix élevé du bois carré. Picounoc dit au chef :

– Tord-flèche ! Je suis mordu au cœur. Je donnerais dix ans de ma vie pour devenir le fidèle et légitime époux de cette jeune fille.

– Est-elle farouche ?

– Brrrrrr !... farouche ! comme une levrette que les chiens ont chassée !... j'ai voulu lui toucher le petit doigt, rien qu'un peu, comme cela, mademoiselle s'est retirée aussi vite que si je l'eusse brûlée.

– Elle s'apprivoisera.

– Varenne ! elle ne comprend que le latin de Paul.

– Laisse faire ! elle ne sera pas deux ans derrière un comptoir d'auberge sans perdre un peu de sa rigidité.

– Tord-flèche ! pense-t-elle que je vais attendre deux ans ?

– Le chef se prit à rire.

– As-tu l'intention, dit-il, de brusquer l'attaque, et de prendre la place d'assaut ?

– Si j'étais certain de réussir, je ne dirais pas non.

– On pourrait peut-être s'entendre tous deux et agir de concert ?

– Avez-vous des intentions pour la mère ?

– Je ne vois plus qu'elle au monde. Je brûle d'un feu dix fois plus ardent que le feu de l'enfer. Je me sens dessécher depuis une heure, comme les arbres que les incendies dévorent.

– Rien que ça ?

– C'est un martyr épouvantable. Si je meure ainsi, je monte au ciel en corps et en âme.

– Hormis que votre corps ne soit tout consumé.

Cette repartie amusa le vieux cynique qui reprit :

– Et tu crois qu'Emmélie aime l'ex-élève ?

– J'en suis trop certain.

– Alors ne te berce pas d'une espérance vaine, comme dit la chanson.

– Tord-flèche ! c'est bien embêtant !

– As-tu du courage ?

– Si j'ai du courage ? En voilà une demande ! J'en avais une provision considérable et je n'en ai pas dépensé une miette.

– As-tu de la sensibilité ?

– Une sensibilité extrême quand on me fait du mal ; pas la moindre quand je fais du mal aux autres.

– Si une jeune fille te suppliait, par tout ce qu'elle a de plus cher au monde ou ailleurs, de la respecter, et de t'en retourner gros Jean comme devant, que ferais-tu ?

– Pour cela, par exemple, Picounoc est le chevalier le plus parfait de la terre ; il n'entend pas badinage là-dessus... Je la respecterais comme si elle était ma femme.

Un éclat de rire partit du fond de la salle. C'étaient Robert et le Charlatan, qui trouvaient drôles les questions et les réponses des deux amoureux.

Au même instant la porte s'ouvre et Charlot entre. On ne peut rien lire sur sa figure impassible. Il jette les yeux autour de la pièce pour reconnaître ceux qui s'y trouvent. Ses bottes sont crottées, ses mains, sales et légèrement tachées de rouge. Il passe dans la cuisine. On l'entend se laver. Le chef le rejoint dans cet appartement enfumé.

– L'affaire est-elle faite ? demande-t-il tout bas.

– Il en a pour son compte.

– Tu n'as pas été vu ?

– Pour qui me prenez-vous ?...

– Je sais, je sais ! il fait noir !

– Noir comme chez le loup.

– Une balle ?

– Une pierre. Un cailloux fait exprès. Il est tombé du premier coup, et ne s'est pas relevé.

– As-tu continué ?

– Sans doute, et j'ai fait la chose en conscience. S'il n'est pas mort, il a la vie dure.

– Cet individu aurait fait acquitter le muet, et qui sait ensuite ce qui serait advenu.

Les deux brigands reviennent dans la salle d'entrée. Le chef était rayonnant.

– Prenons un coup à la santé de ce pauvre muet injustement condamné, dit-il, et fasse le ciel que son innocence soit reconnue !

La santé fut bue avec enthousiasme.

– Les gens des chantier ont bien des vices, remarqua Picounoc, mais j'aurais gagé dix piastres contre une que Djos n'était pas coupable.

– Viens ici, Picounoc, dit le chef en tirant le garçon nasillard par la manche de sa vareuse, nous n'avons pas fini de causer de nos adorables voisines.

– Batiscan ! ne m'en parlez plus, la tête me fend, le cœur me brûle. Je vais devenir furieux.

– J'ai une chose à te proposer.

– Quoi ?

– Si nous allions tous les deux à *la Colombe victorieuse*... tu comprends ?

– Je comprends que l'on nous flanquera à la porte.

– Non pas ! nous irons comme tout le monde y peut aller. Nous souperons, nous veillerons, nous serons sages pour ne pas exciter les soupçons, et nous demanderons une chambre.

– C'est une idée.

– Il faut de la détermination.

– J'en aurai.

– Nous choisirons une nuit de pluie : la police se met à l'abri quand il pleut.

– Et nous choisirons une nuit où l'auberge de *la Colombe* n'aura point d'hôtes.

– Est-ce compris ?

– C'est fait. Tord-flèche ! je m'en fiche ! je partirai de suite après, pour aller voir ma mère que je n'ai pas embrassée depuis quinze ans, et les embrassades finies, je remonterai dans les chantiers.

Pendant que le vieux Saint-Pierre et le vagabond Picounoc forment des projets infâmes, la jeune Emmélie et sa mère entrent dans leur chambre modeste pour se reposer des fatigues de la journée. Elles ne regrettent pas d'avoir vendu leur terre, car la maison qu'elles viennent d'ouvrir est passablement achalandée. L'avenir leur apparaît plus serein que le passé. Emmélie songe à son nouveau cavalier. L'ivresse de ce premier amour la transporte dans un monde enchanté. Déjà elle se brode une existence toute de bonheur et de joie. Ô douces espérances des cœurs aimants ! ô doux rêves du jeune âge ! que vous apportez de charmes à la vie ! que vous semez de fleurs sur nos pas ! et que l'on est heureux de ne pas deviner comme vous vous envolez vite ! Emmélie et sa mère venaient de céder aux douceurs du sommeil, lorsque trois coups violents firent trembler la porte de l'auberge. Le sommeil s'enfuit comme l'oiseau qu'effraie la détonation du fusil. Elles se levèrent en tremblant et vinrent ouvrir en se mettant sous la garde de Dieu.

Pendant que, par dérision, l'on boit à la santé du muet, dans l'auberge de la mère Labourique, couché sur un grabat sale et dur, dans une cellule humide, un infortuné jeune homme pleure en silence. Les ténèbres enveloppent la vieille prison de la rue Saint-Stanislas ; mais ces ténèbres n'ont rien d'affreux comparées à celles qui remplissent les tristes corridors et les cachots infects de l'asile des criminels. Et le jeune homme réfléchit sur la malice et l'aveuglement du monde. Il se demande, dans son ignorance, pourquoi Dieu permet que le mensonge et l'injustice triomphent de la vérité. Il sent bien qu'il a des fautes à expier et que le châtiment, de quelque part, ou sous quelque forme qu'il vienne, le purifiera. Il se soumet, car il est repentant. Un profond silence règne autour de lui, silence effrayant comme celui de la tombe. Il n'entend pas le vent murmurer à travers les barreaux de fer de la fenêtre : la nuit est calme. Il voudrait que la tempête s'élevât. Il entendrait peut-être, comme des échos perdus et lointains, les plaintes des rafales ; et ces plaintes se mêleraient aux siennes comme des voix amies et pleines de pitié. Le malheureux s'attache à tout : le prisonnier qui est seul dans son cachot se fait des amis du liseron qui s'étiole devant sa fenêtre étroite, de la brise qui dessèche, aux jours d'été, les parois humides de son tombeau, et du grillon qui crie sous la pierre de la porte.

Le muet, car c'est lui qui pleure en silence, s'attendait à chaque instant de partir pour le pénitencier. Il croyait que chaque jour nouveau, que chaque nouvelle nuit étaient les derniers qu'il allait passer dans son cachot. Il frémissait à la pensée de l'infamie dont son front allait être marqué. Il s'endormit en songeant à sa mère, et son sommeil fut paisible. Dès que le jour parut, la porte de sa cellule s'ouvrit et un prêtre entra. Le muet était levé depuis assez longtemps et priait à genoux devant un petit crucifix qu'on lui avait permis d'accrocher au mur. Le prêtre s'agenouille près de lui. Tous deux s'asseyent après quelques minutes. Le muet est triste, le prêtre a un reflet de joie dans les yeux. Il prend la main du prisonnier et la serre amicalement :

– Ayez confiance, mon enfant, dit-il, Dieu ne vous abandonnera pas. Il semble vouloir faire triompher votre innocence.

Le muet regarde le prêtre avec étonnement. Le ministre du Seigneur continue :

– Un habitant du Cap-Santé est venu à Québec, et il raconte qu'il vous a sauvé d'une mort inévitable et barbare.

Le muet rayonne de joie et regarde le crucifix.

– Déjà l'esprit public se réveille, ajoute le prêtre, et l'on veut savoir ce qu'il y a de vrai dans ce récit. Malheureusement l'habitant qui peut vous sauver est dans un état des plus lamentables. Il a été assailli et battu cruellement, hier soir. On l'a cru mort, il est à l'hôpital. Les médecins ne savent encore s'il recouvrera la connaissance, et s'il pourra parler. Cet événement fait sensation, et confirme en quelque sortes la vérité des paroles qu'aurait dites ce brave homme. Il est évident que les voleurs ont intérêt à le faire disparaître. On n'explique pas autrement l'assaut dont il a été la victime. Votre départ sera nécessairement retardé, et probablement que l'on vous fera un nouveau procès...

Le prêtre parle longtemps encore au prisonnier, et fait descendre dans son cœur brisé un rayon d'espérance.

VII

La victime de Charlot

Quelques minutes après l'assaut commis sur la personne de Pagé, dans les ombres du soir, près du quai dont la marée basse doublait la hauteur, Flavien Richard arriva au Cul-de-Sac et monta sur l'un des bateaux passagers.

– Es-tu seul ? demanda quelqu'un.

– Oui ; pourquoi ?

– Qu'as tu fait de Pagé ?

– Pagé ? Je ne l'ai pas vu de la soirée. Il devait aller à l'auberge nouvelle, à *la Colombe victorieuse.*

– Et tu ne l'as pas vu ?

– Tonnerre ! je ne l'ai pas vu un brin.

– Vous vous êtes parlé il n'y a pas un quart d'heure.

– Rêves-tu, toi ?

– Voilà qui est drôle ! On a entendu Pagé qui demandait : « Est-ce toi, Richard ? » Et une voix a répondu : « Oui. »

– Cette voix n'est pas la mienne, bien sûr. Et Pagé n'est pas ici ?

– C'est ce qui nous étonne.

– Il faut voir s'il ne lui serait pas arrivé quelque malheur. Dans ces villes, il se trouve tant de scélérats ! Et qui sait si le hasard ne l'a pas fait rencontrer des vrais voleurs ? Si ces gens le connaissaient et savaient qu'il peut faire élargir le muet, croyez-vous qu'ils ne le tueraient point ?

– Prenons un fanal, et visitons la grève.

Aussitôt dit, aussitôt fait. Un fanal est allumé et plusieurs habitants descendent sur la rive.

– Allons vers le quai d'en haut ; les voix paraissaient venir de là.

Celui qui disait ces paroles prend le devant, et les autres le suivent. La chandelle de suif qui brûle dans le fanal de fer-blanc rond et percé à jour comme une broderie, n'éclaire guère le rivage sombre, et le mythologiste qui aurait vu passer, dans la nuit, ces ombres silencieuses guidées par une pâle et tremblante lumière, se serait cru transporté sur les bords du Styx, à l'heure ou Charon guide à sa barque les âmes de ceux qui ne sont plus. La mer commençait à monter : on entendait au large, par moments, quelques avirons attardés. Des rues voisines montait encore un bruit de pas de moins en moins assourdissant. Soudain un cri s'élève et les ombres dispersées se réunissent autour du fanal qui paraît jeter un plus vif rayon. On voit les hommes se pencher ; on les entend murmurer. Puis ils reviennent au bateau, marchant ensemble à pas lents comme chargés d'un pesant fardeau. Ils avaient trouvé le malheureux Pagé, sans connaissance et couvert de sang et de boue, à quelques pas du quai désert, près du flot montant. Les suppositions allèrent leur train. La police fut de suite informée de l'accident. Elle descendit à l'auberge de *la Colombe*. C'est alors que l'hôtelière et sa fille furent brusquement tirées de leur premier sommeil. La police fit de nombreuses questions à la femme épouvantée du forfait qui venait d'être commis. Elle répondit avec la sincérité d'une âme parfaitement honnête. Et que pouvait-elle dire ? Elle ne connaissait personne ; elle voyait pour la première fois chez elle la plupart de ses hôtes. Seulement, elle avait vu entrer souvent depuis quelques jours, à *l'Oiseau de proie*, celui que l'on appelait Picounoc, et l'autre qui paraissait un vieillard. Elle dit que l'on avait parlé du muet, et que l'habitant voulait le faire sortir de prison à cause de son innocence. Elle dit que l'un d'eux, un grand noir, était sorti quelques minutes avant les autres et n'était plus rentré.

Les hommes de la police se retirèrent. Ils n'étaient que deux. L'hôtelière et la jeune Emmélie ne purent retrouver le sommeil. Le spectre de ce pauvre habitant assassiné passait et repassait sans cesse devant leurs yeux, avec ses blessures larges et saignantes. La nuit fut longue et pénible pour les deux femmes.

En sortant de *la Colombe victorieuse*, les deux agents de la police se dirigent vers *l'Oiseau de proie*. La porte de cette maison n'est pas encore fermée, et les brigands vident avec une indifférence affectée leurs verres de rhum réduit. Ils entrent. Les brigands font bonne contenance. Pourtant une légère pâleur couvre la figure méchante de Charlot. La police essaie de se renseigner et veut les faire parler ; mais les rusés coquins se tiennent sur leur garde, et laissent le chef répondre à toutes les questions. Cependant l'un des agents ayant demandé brusquement à Charlot pourquoi il était sorti de l'auberge avant ses compagnons, Charlot paraît embarrassé et répond :

– Parce que j'avais besoin de sortir.

– Et où êtes-vous allé en sortant ?

– Je suis venu ici.

– Pourquoi n'avez-vous pas attendu les autres ?

– C'est mon affaire : je suis libre de sortir quand il me plaît, ou d'attendre qui je veux.

– Vous êtes notre prisonnier !

– Embrouille ! hurle le chef.

Les cinq brigands, à ce cri, se ruèrent sur la police qui s'enfuit.

Le lendemain, toute la ville connaissait la tentative d'assassinat de la veille. Le motif en paraissait évident à tout le monde : les auteurs du vol voulaient faire disparaître un témoin dangereux. Le muet n'était pas le coupable : la sentence était injuste. Une chaude sympathie fut acquise au malheureux jeune homme enfermé dans la prison. Un grand nombre disait :

– Il faut un nouveau procès ! il faut une enquête sérieuse !

Beaucoup voulaient que le condamné fut immédiatement mis en liberté.

Pagé fut transporté, la nuit même, à l'hôpital de la marine, et des médecins furent appelés. Il était toujours évanoui. Si l'on eut retardé d'une heure à le chercher, la mer montante aurait passé sur lui, et le flot eût achevé l'œuvre du brigand. C'était ce qu'espérait l'assassin. Il regrettait maintenant d'avoir négligé une précaution bien naturelle et se demandait pourquoi il n'avait pas traîné sa victime au fleuve. Les blessures de Pagé furent trouvées graves, dangereuses, mais aucune n'était nécessairement mortelle. Au premier coup d'œil, la tête paraissait n'être qu'une masse informe, hideuse et sanglante. Mais le fil d'argent rapprocha les lèvres béantes des plaies ; l'eau tiède nettoya la chevelure souillée et la face bleuie, et les emplâtres dissimulèrent le crâne chauve. L'inflammation du cerveau était à craindre. Les médecins s'efforcèrent de la prévenir. Ils passèrent toute la nuit au chevet du blessé.

La nouvelle de cet événement se propagea vite dans les

campagnes. Elle fit sensation à Lotbinière et au Cap-Santé. Asselin l'apprit en revenant du moulin à farine, avec une pesante *moulée* (mouture). Ce fut Pierre Fanfan qui la lui raconta. Tout le reste de la route, le tuteur infidèle resta plongé dans une profonde inquiétude. Il songeait que le muet, s'il était innocent et mis en liberté, n'aurait guère de peine ensuite, grâce à la sympathie générale, à se faire reconnaître pour son pupille et l'enfant de Letellier. Mais il cherchait en vain quels pouvaient être les voleurs, et le récit de Noémie Bélanger lui revenait à la mémoire. Il ne parla de Pagé ni du muet à personne, pas même à sa femme. Il ne voulait pas aider la rumeur à se répandre : il aurait désiré la tuer. Mais la rumeur est insaisissable. Elle se glisse comme le serpent ou vole avec la rapidité du ramier sauvage. Elle s'étend comme un nuage, éclate comme la foudre et se multiplie comme l'écho. C'est un filet d'eau qui perce la pierre ; c'est un sillon qui s'élargit toujours, un torrent que nulle digue ne peut arrêter.

Cependant Bélanger avait hâte de voir Asselin. Il alla le trouver à sa grange.

– Sais-tu la nouvelle ? lui demanda-t-il.

– Non, quelle nouvelle ?

– André Pagé, du Cap-Santé, a été assassiné à Québec.

– Vraiment ?

– Rien de plus vrai. Baptiste Miquelon l'a vu. Il n'est pas mort encore, mais il est bien risqué.

– C'est bien malheureux !

– Ce n'est pas tout. Il paraît que ton voleur est innocent, et qu'il va être mis en liberté.

– Le muet ?

– Oui.

– Comment cela ? On a trouvé mon argent sur lui.

Bélanger répéta ce que disait la rumeur. Quand il revint chez lui, il était convaincu du désappointement de son voisin, et commençait à soupçonner son honnêteté. La jolie Noémie ressentit une grande joie en apprenant que l'on avait des doutes sérieux sur la culpabilité du pauvre muet. Elle recommença à chanter, et sa voix fraîche égayait la maison silencieuse depuis plusieurs jours. Alors les parents et les amis du pupille, qui avaient cru retrouver l'enfant de Letellier dans la personne du muet, songèrent qu'ils pouvaient bien avoir eu raison.

VIII

Luxure et chasteté

Les gens de chantier, après avoir passé quelques semaines dans la ville à boire et à s'amuser, reprenaient tour à tour le chemin de leur village. Quelques-uns, dans leur prodigalité coupable, avaient oublié de garder quelques écus pour payer leur passage. Tous s'étaient habillés de neuf chez les marchands de hardes faites de la Basse-Ville. Plusieurs, cependant, se défiant des embûches de la volupté, ne déliaient pas les cordons de leur bourse au sourire perfide de l'amour qui se vend, et se hâtaient de laisser la ville.

Ces braves jeunes gens prêtaient l'argent qu'ils avaient économisé et chaque année voyait grossir leur petit trésor. Après cinq ou six hivers passés dans les chantiers, ils se trouvaient en état d'acheter une terre à des conditions avantageuses, et ils prenaient femme. Malheureusement ce n'était pas le grand nombre qui agissait avec cette prudence.

L'ex-élève, au lieu d'économiser, avait fort dépensé depuis qu'il travaillait dans les bois. Il était l'enfant gâté de bien des Calypsos qui n'avaient rien des grâces de l'antique déesse, et l'adoraient jusqu'au dernier sou, pas au-delà. Mais le châtiment de Djos le blasphémateur lui ouvrit les yeux. Il réfléchit, et le fruit de ses réflexions fut un changement de vie complet, une conversion sincère. Ses tendres amies de Québec ne le virent plus. Elles en furent étonnées et demandèrent à Picounoc, à Poussedon, à Lefendu et à tous les autres que la grâce de Dieu n'avait pas touchés, la raison de son infidélité. Quand elles apprirent que le frivole garçon avait un amour sérieux, elles rirent beaucoup et crurent à un prochain retour.

Cependant l'ex-élève était véritablement épris, et l'image d'Emmélie se dessinait toujours devant ses regards et lui semblait enveloppée d'un nimbe lumineux. Il alla voir sa famille, et remit une jolie somme à son vieux père étonné, qui faillit pleurer de joie. Mais une force irrésistible l'attirait à Québec. Sa gaieté avait un peu de mélancolie : il émaillait moins de latin ses reparties joyeuses. Il revint à la ville et Emmélie lui avoua qu'elle s'était ennuyée. Ils causèrent longtemps assis près de la fenêtre. Ce qu'ils dirent, je l'ignore. Ils parlaient à voix basse et souriaient toujours. Leurs regards se rencontraient souvent et se confondaient comme deux sources vives, sorties de deux rochers opposés. Dehors, le ciel était noir et sans soleil : il pleuvait ; mais il y avait de la sérénité dans leurs jeunes figures, et leurs âmes étaient ensoleillées. Avant de se séparer, ils échangèrent des gages de fidélité. L'ex-élève venait d'acheter un superbe mouchoir de soie rouge ; la jeune fille avait un mouchoir blanc garni d'une fine dentelle. Les deux foulards cachaient, dans leurs plis soyeux, quelques gouttes de parfums, et quand les jeunes gens défaisaient ces replis, les senteurs s'échappaient en bouffées enivrantes. L'ex-élève demanda à Emmélie son mouchoir en signe de constance. Emmélie n'osa pas refuser, mais, en badinant, elle s'empara du foulard de soie rouge et ne voulut plus s'en séparer. L'ex-élève partit, promettant de revenir encore dans une quinzaine de jours.

– Si la pluie continue, il fera noir cette nuit, dit le vieux Saint-Pierre à Picounoc qui répond :

– Ce sera le moment de tenter la fortune. Il faut se hâter, car je pars demain pour aller voir ma mère. Quinze ans sans la voir, c'est long... pensez-y !

– Et ton père ?

– Mon père ?... Est-ce que je sais, moi, si j'ai un père ?

– Tant mieux ! il ne te maudira pas.

Le chef des voleurs et l'homme de cage viennent de se rencontrer au coin de la rue Sous-le-fort. Ils se rendent ensemble à l'auberge de l'*Oiseau de proie*. Ils ne restent pas longtemps dans cette maison. Ils ont peur du silence et besoin de distractions, car le projet infâme qu'ils nourrissent dans leur esprits, depuis quelques jours, les trouble et les effraie. Ils ne veulent pas reculer. C'est une fausse honte qui les retient. Le chef craint de passer pour un lâche aux yeux de son jeune complice, et Picounoc ne veut pas être taxé de vantardise et de poltronnerie, par son vieil ami. Ils entrent enfin à l'auberge de *la Colombe victorieuse*. C'est le soir, ils demandent à souper, mangent assez peu, mais boivent beaucoup. Picounoc suit tous les mouvements de la gracieuse jeune fille. Le chef cherche la femme timide et réservée. Tous deux songent aux moyens de mettre à exécution leurs desseins criminels. Ils ne parlent guère. Quelques habitants entrent. Les scélérats en ressentent du dépit. Les femmes, sans défiance, s'efforcent de paraître aimables, et de bien servir leurs hôtes, afin d'assurer un bon nom à leur maison nouvelle, et d'attirer des pratiques nombreuses. Elles ne se doutent pas du malheur affreux qui les menace. Pendant toute la soirée des gens entrent et d'autres sortent. Personne ne demande de chambre pour la nuit.

– Attendons toujours, dit le chef à Picounoc, bientôt les derniers s'en iront, alors nous prendrons nos lits. Il ne viendra plus personne, il passe dix heures.

– En effet, un instant après, Saint-Pierre et le garçon de chantier restent seuls. Ils expriment leur désir de passer la nuit à *la Colombe victorieuse*, donnant pour raison la distance qu'ils ont à parcourir, et la pluie qui tombe par torrents. L'hôtelière les conduit à une chambre propre et bien aérée. Un lit large et garni d'un couvre-pieds blanc remplit un coin de cette chambre ; un lave-mains, deux chaises, une petite table, en complètent l'ameublement. La porte de l'auberge est fermée et les chandelles s'éteignent, comme de pâles étoiles s'éteignent dans le ciel qui se couvre. Le silence enveloppe la maison.

– As-tu étudié les lieux ? demande Saint-Pierre à son compagnon.

– Leur chambre est à gauche, en sortant, répond à voix basse le misérable Picounoc.

Et l'entretien continue ainsi :

– Es-tu bien déterminé ?

– Je mourrai après s'il le faut. Et vous ?

– Je l'aurai de gré ou de force... et je ne mourrai pas après.

– Si la porte est fermée à clef ?

– On trouvera un prétexte quelconque pour faire ouvrir. L'une des deux se lèvera : on la saisira... Un mouchoir sur la bouche... un pistolet sous la gorge... Il faut réussir. Il serait ridicule de faire tant de démarches pour ne recevoir qu'un pied-de-nez.

– Dans ce cas, il vaut autant essayer de suite.

– Allons !

Et les deux scélérats se rendent sur le bout des pieds à la porte de la chambre où se sont retirées les deux femmes vertueuses. Ils prêtent l'oreille. Les femmes récitent à demi-voix le chapelet de la Sainte Vierge. Picounoc frissonne.

– As-tu peur ? vas-tu reculer ? lui dit le vieux polisson. Attends un peu ! on va voir si le chapelet pourra les sauver...

Il essaye de lever la clenche de la porte. Elle est tenue par un loquet. Les femmes prudentes s'étaient enfermées. Il frappe discrètement.

– Que voulez-vous, demande l'hôtelière ?

– Nous sommes décidés à partir, et nous désirons vous payer, répond le chef.

La porte s'ouvre. L'honnête femme fait un pas en arrière en voyant les visages bouleversés de ses hôtes.

– Picounoc est garçon, moi je suis veuf, nous voulons vous épouser, repart Saint-Pierre, d'un ton cynique.

– Je ne vous comprends pas.

– Je vous aime ! dit le vieux damné, avec transport.

– Allez vous-en ! crie la femme en repoussant la porte.

Mais la porte ne se referme point, et les deux bandits entrent dans la chambre encore chaste.

– Va chercher du monde, dit l'hôtelière à sa fille.

– C'est inutile, reprend Picounoc, la porte ne s'ouvrira pas ; nous sommes les plus torts, et nous vous aimons.

– Si vous nous aimez, dit la jeune fille, respectez-nous.

– Je vous en conjure, s'écrie la malheureuse mère, n'outragez pas ma fille !... C'est mon seul bien, c'est mon seul amour, oh ! respectez-la !... Elle est pauvre et sa vertu est son unique fortune !

– C'est l'affaire de Picounoc, répond le vieux.

Emmélie, les mains jointes, regarde le jeune homme d'un air suppliant :

– Pour l'amour de Dieu ! sortez, dit-elle ; nous sommes des femmes faibles et sans défense, vous êtes des hommes forts et généreux, vous n'abuserez pas de votre force ; vous ne nous ferez point de mal, vous aurez pitié de nous !

Picounoc interdit, hésite :

– Mon Dieu ! mon Dieu ! s'écrie la mère, n'y a-t-il personne qui nous entende ?

Emmélie pleure et supplie toujours. Devant tant d'innocence et de vertu, le crime perd son audace, la passion, sa fureur. Picounoc dit au vieux brigand :

– Venez-vous-en !

Emmélie tombe à genoux :

– Que Dieu vous bénisse ! dit-elle.

Saint-Pierre veut retenir son complice et lui rendre sa première insolence :

– Paul Hamel, ton camarade, t'en aura de la reconnaissance, insinue-t-il.

À ce nom, la jalousie entre dans le cœur du jeune garçon :

– Pourquoi l'aimez-vous tant, lui ?... pourquoi ne m'aimez-vous pas, moi ? dit-il brusquement à la jeune fille.

– Je suis encore libre, murmure la pauvre enfant épouvantée.

– Si je savais !... si je pouvais espérer !

– Oh ! soyez honnête, soyez généreux, vous n'aurez jamais lieu de vous en repentir !

Picounoc se dirige vers la porte :

– Je m'en vais, dit-il au vieux libertin, venez-vous-en !

– Lâche ! tu n'es pas un homme ! repart Saint-Pierre. Si l'ex-élève était à ta place, le désespoir d'Emmélie ne serait pas si grand, va !

La criminelle insinuation rend à Picounoc ses mauvais instincts :

– C'est vrai ! dit-il, pas de grâce !

Emmélie s'était approchée de la fenêtre, elle brise un carreau et jette un cri terrible. Les brigands la saisissent d'une main violente et la ramènent au milieu de la chambre. Mais la mère, à son tour, pousse une clameur qui retentit au loin.

Les deux vauriens demeurent un moment interdits. Des pas précipités se font entendre sur le trottoir. Ils approchent vite. Un nouveau cri s'élève dans la chambre violée, et des coups, frappés avec force dans la porte de l'auberge, y répondent aussitôt. Picounoc et Saint-Pierre abandonnent leurs victimes, descendent dans la cour et se sauvent en escaladant la clôture de planches. L'hôtesse alla ouvrir : il n'y avait plus personne. Elle ne put se défendre d'une vague peur. Il pleuvait toujours et l'on n'entendait que le bruissement de la pluie sur les toits de fer-blanc.

Le chapelet avait sauvé les deux honnêtes créatures.

IX

Vox populi, vox Dei

Quelques jours se sont écoulés depuis que Pagé, blessé grièvement, gît à l'hôpital sur un lit de souffrances. Son état, lamentable encore, n'est cependant plus désespéré. Des soins attentifs ont éloigné les complications fatales, et l'on prévoit le moment où l'infortuné pourra faire connaître aux citoyens anxieux le guet-apens dans lequel il est tombé. Mais ce qui préoccupe le public, c'est l'histoire fausse ou vraie du sauvetage de ce jeune prisonnier muet qui languit dans un cachot, en attendant le départ pour le pénitencier. La rumeur vole de toutes parts, et sa voix, de plus en plus retentissante, se fait entendre jusque dans les villages les plus solitaires. Un sentiment de compassion incline tous les cœurs vers le pèlerin, et l'on craint que les témoins qui doivent le sauver ne disent plus, devant les juges, ce qu'ils affirment maintenant. Une auréole éclatante, l'auréole du martyre, entoure le front de l'innocente victime. Cent diverses suppositions, cent récits divers sont répandus au sujet des voleurs et des moyens qu'ils ont pris pour s'assurer l'impunité. On accable de questions les gens qui vont à la ville, car c'est de la ville que viennent presque toutes les nouvelles, bonnes ou mauvaises.

Dès que Pagé put supporter, sans trop de fatigue, un interrogatoire un peu prolongé, un officier de justice se rendit auprès de lui pour recevoir sa déposition.

Pagé ne put jeter aucune lumière sur la tentative d'assassinat dont il avait été l'objet. Il ne se connaissait pas d'ennemis. Ce détail ne fut pas jugé inutile par un homme de la police secrète qui assistait à l'interrogatoire.

« S'il n'a pas d'ennemis, pensa-t-il, ce sont les voleurs qui l'ont assailli, et si ce sont les voleurs, ils étaient à l'auberge de *la Colombe victorieuse*. Celui qui l'a appelé dans l'ombre, près du quai, savait qu'il devait passer sur la grève à cette heure de la soirée. Comment pouvait-il le savoir ? Pagé était arrivé à Québec vers le soir. Il était entré à *la Colombe victorieuse* et s'y était attardé malgré lui. Il n'avait pas été ailleurs ce jour-là. »

L'officier écrivit mot à mot le récit de Pagé quand il raconta, jusque dans les moindres détails, comment il avait trouvé le muet se noyant dans un canot submergé, et comment il l'avait sauvé. On avait fait venir Richard. Il confirma pleinement la déposition de son ami. Pour ne rien laisser dans l'ombre, on avait demandé à Richard de prouver qu'il ne se trouvait pas sur la grève au moment où l'assassinat avait eu lieu.

« Il est évident, pensa le limier de la police, que Richard ne se fût pas nommé s'il eût voulu commettre un meurtre. »

Au reste Richard n'eut pas de peine à faire la preuve que l'on demandait. Pagé voulut s'y opposer, disant que c'était faire injure au caractère loyal de son concitoyen, mais la justice a des exigences terribles.

L'innocence du muet ressortit de la manière la plus évidente de ce minutieux interrogatoire. Le peuple de la ville s'émut, et demanda que cette malheureuse victime des méchants fût mise en liberté, sans plus de retard ni de formalités. Il y eut des rassemblements aux coins des rues, et l'on se porta en foule à la vieille prison. Le shérif arriva bientôt. Il voulut haranguer la masse et la disperser. Des cris formidables s'élevèrent. Il eut peur. On voyait, au-dessus des têtes, des pièces de bois fortes comme des béliers.

– Quand la justice se trompe, criaient des voix, c'est au peuple à réparer ses erreurs !

D'autres disaient :

– La justice est aveugle, mais nous voyons clair, nous autres !

Et d'autres :

– Soyez aussi fins que vous avez été sots : trouvez les coupables après avoir puni l'innocent.

Et d'autres encore :

– *Vox populi vox Dei !...* Le peuple le veut, ouvrez les portes de la prison.

Il y avait des moments de grande anxiété. Tout à coup l'on aperçoit, dans le cadre noir de la sombre porte, une figure douce et pâle.

– C'est lui ! hurle la foule, et un immense hourra ! monte

jusqu'au ciel, et l'antique prison tressaille jusqu'en ses fondements.

Le muet est enlevé et porté sur les épaules de la foule triomphante. Il pleure. Ce changement subit de fortune le touche extraordinairement. On le porte loin. Quand il aperçoit l'église paroissiale, il fait signe qu'il désire y entrer. La foule s'agenouille avec lui au pied des autels. Le prêtre qui l'a visité dans son cachot sort de la sacristie, et reste stupéfait à la vue de cet empressement inaccoutumé du peuple à visiter le temple du Seigneur. Il aperçoit le muet et comprend tout. Il vient à lui, le presse sur son cœur, récite à haute voix une prière d'action de grâce, et emmène chez lui le prisonnier libéré. La foule se dispersa. L'homme de la police secrète qui avait assisté à l'interrogatoire, alla frapper au presbytère et demanda à voir l'hôte nouveau du curé. Cet excellent prêtre était le même qui avait pris sous sa protection Geneviève et Marie-Louise, et leur avait ménagé un asile à la campagne.

L'homme de la police fait de nombreuses questions au muet, et s'avise de lui demander s'il connaît les voleurs. Il est atterré en quelque sorte de la réponse du muet, qui fait un signe affirmatif, et il demeure silencieux pendant une minute.

– Sont-ils nombreux ? demande-t-il.

Le muet ouvre la main, montre les cinq doigts.

– Ils sont cinq ?

Le muet affirme, de la tête, puis, fermant le pouce et l'index, élève les trois autres doigts, et montre du côté de Lotbinière.

– Ils étaient trois pour commettre le vol ?

Même signe affirmatif.

– Pouvez-vous les retrouver, les reconnaître, me dire où ils se cachent ?

Le muet fait signe que oui. Le limier n'en peut croire ses yeux. Il éprouve une joie indicible.

« Je vais enfin, pense-t-il, purger la ville de cette canaille... Ils seront fins s'ils m'échappent !... »

Depuis longtemps, en effet, ces brigands exerçaient avec impunité, aux dépens des honnêtes gens, leur infâme métier, et ils avaient déjoué toujours, et toujours dépisté, grâce aux travestissements de toutes sortes dont ils usaient, les recherches de la police et les précautions de tout le monde.

Le limier pria le muet de le conduire au repaire des voleurs. Ils sortirent. À quelques pas du presbytère, dans l'escalier de la côte de la Montagne, le muet voit monter aux côtés d'un homme vêtu d'étoffe grise, une jeune fille humblement mise, mais d'une tournure fort remarquable. Son cœur à la reconnaître est encore plus vif que ses yeux. La fillette s'arrête soudain. Ses regards viennent de rencontrer les regards mélancoliques du joli garçon :

– Le muet ! Joseph ! fit-elle tout haut, dans sa surprise.

Bélanger, qui compte en les montant les degrés nombreux de l'escalier, en oublie le nombre.

– Où ? demande-t-il.

Noémie n'a pas le temps de répondre ; le muet est près d'elle et lui tend la main avec une émotion et un plaisir qu'il ne cherche pas à déguiser. La jeune fille met dans cette main franche ses doigts délicats, et elle dit à son ami qu'elle est bien heureuse de le voir rendu à la liberté. Elle lui affirme aussi qu'elle ne l'a jamais pensé coupable. Le muet repose sur elle un regard de sincère reconnaissance. Bélanger le félicite à son tour, et l'invite à venir à Lotbinière. Noémie réitère l'invitation, et le rayon de son œil noir est plus éloquent encore que sa douce voix.

Le muet conduisit l'homme de la police secrète à l'auberge de *l'Oiseau de proie*. L'hôtelière était seule : le bouge était désert. La vieille Labourique pousse un cri de joie en se levant de son fauteuil disloqué et court vers son ancien protégé :

– Mon Dieu Seigneur ! c'est toi, Djos ?... Ah ! je savais bien que tu n'étais pas un voleur, ni un méchant garçon !... moi qui t'ai presque élevé !... moi qui te regarde comme mon enfant !... Oui, monsieur, continue-t-elle, en s'adressant au compagnon du muet, oui, monsieur, ce garçon-là... c'est comme mon enfant !... je suis une mère pour lui, une vraie mère... Vous pouvez croire que j'avais du chagrin de le voir condamner comme voleur, moi qui suis si honnête femme, Dieu merci au bon Dieu ! Je ne voudrais pas, pour tout l'or du monde, que ma maison passât pour avoir abrité, ne fut-ce qu'un jour, un voleur, ou un débauché, ou... non !

Et elle embrasse le muet qui est tenté de la repousser, mais se laisse faire pour ne pas éveiller de soupçons dans l'esprit de cette vieille hypocrite.

– Il faut que je te traite un peu ! ajoute-t-elle. Approche du comptoir avec monsieur ! venez ! venez ! que voulez-vous prendre ? j'ai le meilleur rhum du monde... C'est pur ! c'est fort ! c'est épais ! ça file, quoi ! comme un sirop. Tu le sais, Djos ?

Elle verse quatre verres.

– Pour qui tout cela ? se demandent le muet et le limier.

Ils sont vite tirés de leur souci.

– La Louise ! crie l'hôtelière, viens trinquer avec Djos ! notre ancien petit Djos...

La Louise arrive. Elle donne la main au muet en s'efforçant de rougir et de paraître intimidées : elle n'est que ridicule et gauche. La vieille aubergiste ingurgite le quatrième verre. Le limier questionne adroitement les femmes de l'auberge et s'efforce de savoir les noms de quelques-uns de leurs habitués. Les deux femmes sont rusées. Elles ne compromettent personne. Au reste, elles se sont entendues d'avance dans la prévision de ce qui arriverait un jour.

X

Merci ! je ne veux pas être longtemps

Le vieux Saint-Pierre et Picounoc sortirent de l'hôtel de *la Colombe victorieuse* avant que la lumière du jour jetât ses premières gerbes de rayons dans les sombres et étroites rues de la Basse-Ville. Il pleuvait encore, et l'on entendait le clapotement des vagues contre les quais. La rue Champlain était déserte, et personne ne vit sortir les deux infâmes. Le chef, de mauvaise humeur reprochait au jeune homme son manque de fermeté. Picounoc regrettait presque de s'être laissé toucher un instant par les prières et les pleurs de sa belle victime. Ils traversèrent la rue et frappèrent à la porte de *l'Oiseau de proie*.

– Une belle heure pour entrer dans les honnêtes maisons ! dit en souriant la vieille aubergiste.

– C'est qu'on n'y entre pas ! répond le chef.

– Soyez tranquille, la mère, votre vertu sera d'autant plus respectée qu'elle est moins respectable, ajoute Picounoc.

– Canaille, va ! répond la vieille, tu mériterais de !...

L'hôtelière de *la Colombe victorieuse* et sa fille font pitié à voir. Pâles, les cheveux en désordre, ramenant sur leurs poitrines, comme pour se protéger encore, leurs vêtements jaloux, elle sanglotent toutes deux. Un tremblement convulsif saisit par moment la pauvre Emmélie. Alors elle jette ses bras autour du cou de sa mère, et, silencieuse, paraît invoquer encore la protection du ciel. Les heures de cette nuit affreuse furent longues comme des siècles. Le temps n'est rien en soi et ne dure que par comparaison. Une minute de souffrances est plus longue en effet qu'une heure d'ivresse. Et voilà pourquoi, à la fin du monde, quand il n'y aura plus que le ciel et l'enfer, ceux qui ne seront pas entièrement purifiés, souffriront, en un clin d'œil, des supplices qui leurs sembleront égaux en durée à des heures, à des jours ou à des années, selon qu'ils seront plus ou moins terribles. Et l'éternité bienheureuse pourra sembler ne durer qu'un moment, à cause de l'infinité de la jouissance.

Les contrevents et la porte de l'auberge de *la Colombe* restèrent fermés, le matin, pendant que la vie se réveillait dans les alentours.

Les journaliers qui passaient, allant à leur travail, se demandaient la raison de cette négligence inaccoutumée de la part de la nouvelle occupante.

– Personne n'est mort ici, pourtant, observait-on : il n'y a pas de crêpe à la porte.

Hélas ! un deuil plus sombre que le deuil de la mort avait menacé la paisible demeure ! Tout le jour s'écoula et les deux infortunées ne quittèrent point leur retraite profanée. Elles n'osaient affronter les regards des hommes, et pourtant leur courage et leurs vertus eussent fait l'admiration de tous. Elles avaient fait, pour échapper à leurs bourreaux, tous les efforts que peuvent déployer deux faibles femmes, et elles étaient demeurées chastes. Devant Dieu, elles avaient mérité l'auréole du martyre !

Vers le soir, elles allèrent ensemble épancher leurs angoisses mortelles dans le cœur du prêtre. Le prêtre, c'est le refuge des âmes affligées, c'est le dispensateur des biens du Christ ; c'est le bon samaritain qui verse sur les plaies des malheureux les baumes divins de la religion. Le prêtre fut vivement affecté de leur douleur ; il fut épouvanté de l'audace et de la perversité des infâmes qui avaient surpris leur confiance. Il leur conseilla de laisser la ville, si toutefois elles pouvaient gagner leur existence à la campagne. Il leur conseilla surtout de renoncer à la profession difficile et compromettante d'aubergistes. Elles y avaient déjà renoncé du fond de leur cœur. Il se trouva qu'une jolie maisonnette était en vente, près de l'église de l'une des plus belles paroisses du fleuve. Avec un petit négoce, deux femmes économes pouvaient y vivre aisément. L'hôtelière acheta la maisonnette. Quelques jours après, elle étalait dans la fenêtre, pour appeler l'attention, mille petits objets nouveaux et curieux. Et les chalands augmentaient chaque jour.

La mère Labourique rit à gorge déployée, en voyant l'enseigne présomptueuse d'en face s'obstiner à décorer une porte qui ne s'ouvre plus. Elle pense que sa rivale s'est enfuie secrètement, pour n'avoir pas à payer son loyer.

– Je savais bien, dit-elle à la Louise, je savais bien qu'elle crèverait de faim. Il n'y a pas de place pour deux hôtels ici. Et s'imagine-t-on que les gens vont laisser une ancienne maison comme la nôtre, pour aller boire du mauvais rhum chez les voisins ?

Picounoc dormit une partie de la journée à *l'Oiseau de proie*. Il éprouvait une satisfaction singulière de n'avoir pas sacrifié à sa brutale passion l'honneur d'Emmélie. Il goûtait quelque chose des délices de la vertu. Son sommeil fut calme. Il fit des songes agréables. Il rêva à sa mère et à sa sœur qu'il n'avait pas vues depuis quinze ans. Il les vit toutes deux sur la ferme modeste où ils les avait laissées jadis, alors que vint l'empoigner la fantaisie de voyager dans les hauts. À son réveil, il sortit pour aller sur les quais, voir si quelque goélette faisait voile pour le bas du fleuve. Dans la rue il rencontra deux femmes voilées de noir. Il les regarda avec une attention curieuse et sourit. Les femmes ne le virent point. Une goélette appareillait. Il s'embarqua. Une chaloupe le mit à terre dans sa paroisse natale.

L'ex-élève mourait d'ennui loin de son Emmélie bien-aimée. Il devenait rêveur et fuyait les plaisirs bruyants et les réunions d'amis : il errait dans les champs solitaires, s'arrêtait sur le bord des ruisseaux, écoutait le frémissement des feuilles, et toujours il pensait à la blonde enfant. Il revint à Québec.

Picounoc arrive à la maison de sa mère, en sifflant un motif qu'il a appris dans les bois. Il aperçoit une bande d'enfants sales et criailleurs, qui jouent à la porte avec des petits chevaux de bois et des catins de linge.

« Diable ! pense-t-il, ma sœur est-elle mariée depuis quinze ans ? À qui tout ça ?... Ma mère a-t-elle convolé ?... La mère et la fille vont à qui mieux mieux ?... »

Puis s'adressant au plus âgé des enfants :

– Ta mère est-elle en bonne santé ?

L'enfant sourit, penche la tête et ne répond point.

– Les chats t'ont-ils mangé la langue ? ajoute Picounoc.

L'enfant se sauve en courant derrière la maison, et tous les autres le suivent en riant. Picounoc entre. Il se trouve en face d'une femme passablement âgée.

« Je me trompe de maison ! pense-t-il. Et il reste muet comme le petit garçon de tout à l'heure. »

– Venez vous asseoir, monsieur, dit la femme en apportant une chaise.

– Merci ! madame, je ne veux pas être longtemps. Voulez-vous me dire qui demeure ici ?

– C'est Pierre Labrie, monsieur.

– Pierre Labrie... Je ne connais pas... Y a-t-il longtemps que vous habitez cette maison ?

– Non, mon mari l'a achetée d'une veuve, il n'y a pas plus d'un mois.

– Ah !... Et cette veuve, où est-elle maintenant ?

– Elle est montée à Québec avec sa fille, pour tenir maison de pension.

– À Québec ?... avec sa fille !... pour tenir maison de pension ?...

Et un nuage passe devant les yeux de Picounoc. Il balbutie :

– Cette veuve, c'est ma mère !

Et il s'assied. Il est affreusement pâle.

– Vous ne le saviez pas ? demande la femme.

– Il y a quinze ans que je suis parti de la maison, dit-il d'une voix saccadée.

– Dans quinze ans, continue la femme, il se passe bien des choses... si vous voyiez votre sœur Emmélie à cette heure, c'est ça qui est un beau brin de fille !... blanche comme la neige, des cheveux blonds comme de l'or, des yeux bleus comme le ciel, et faite, monsieur !... faite à ravir !... Tous les garçons de la paroisse en raffolaient.

Picounoc se lève. Il ne voit rien ; sa tête bourdonne : les idées confuses dansent dans son esprit, comme les gouttes de pluie dans une mare d'eau.

Quinze jours plus tard il arrivait tout à coup dans la *braierie* d'Asselin, à Lotbinière. Les terribles émotions qu'il avait ressenties s'étaient peu à peu calmées, son mauvais naturel avait reprit le dessus, et tout en éprouvant les morsures du remords, il affectait le calme et la gaieté.

XI

Qu'il meure

Comme les oiseaux timides s'envolent de leur nid quand le bûcheron écarte subitement et fait vibrer les branches, ainsi les voleurs s'enfuirent de l'auberge de la vieille Labourique, quand le bruit et les clameurs de la foule annoncèrent la délivrance de leur victime. Ils savaient comme en toute chose la réaction est puissante. Ils s'imaginaient être connus ou soupçonnés du muet, et craignaient d'être arrêtés sur un signe de sa main. Les moindres détails des agissements de ce garçon revenaient à leur mémoire, et prenaient des proportions énormes, comme les joncs qui flottent dans le mirage des eaux. Ils prenaient sa réserve pour de l'hypocrisie, sa présence à l'auberge pour de l'espionnage. Ils n'étaient sortis que depuis quelques minutes, quand l'homme de la police secrète, guidé par le muet, entra dans le repaire de la rue Champlain. Racette les a réunis chez sa sœur, Mlle Paméla. On tient conseil. Le président est assis sur le coffre renfermant les costumes variés dont on a besoin dans les expéditions criminelles. Habits, manteaux, gilets, perruques, barbes et moustaches de toute couleurs et de toutes formes ; lunettes pour tous les âges. La prudence, sinon le goût, a présidé au choix de ces articles. Il est décidé que l'on ne sortira pas sans déguisement aussi longtemps que le muet sera dans la ville, et que l'on ira rarement à *l'Oiseau de proie*. Vers le soir, la Louise vient rendre visite à Paméla. Elle est accompagnée d'une pleine bouteille de rhum dont elle fait cadeau – dans l'espoir d'un parfait paiement – aux anciens amis. On ne manque point de l'interroger.

– Vous avez eu bon nez, répond-elle, de déguerpir sans tambour ni trompette. Je ne veux pas faire passer Djos pour un espion, ni pour un traître, ni pour plus méchant qu'il n'est, mais il est venu à la maison cet après-midi en compagnie d'un homme de la police secrète.

Les voleurs jettent un cri de surprise, et pourtant ils s'attendent à quelque chose de la sorte, puisqu'ils se cachent. La Louise continue :

– Il croit, ce beau limier, qu'on ne le connaît point ; mais il y a longtemps que l'on sait le vilain métier qu'il fait.

– Comment se nomme-t-il ? demanda le charlatan.

– Je ne sais pas son nom ; je le connais de vue seulement : c'est une petite moustache noire ; tous devez l'avoir rencontré souvent sur les quais.

– Un tout jeune homme ? dit Charlot.

– Tout jeune.

– Un chapeau brun, mou, renfoncé au milieu ? reprend le chef.

– C'est cela.

– Connu ! ce garçon-là !... je m'en doutais.

Puis il dit, s'adressant à ses complices :

– Nous sommes menacés. Le doute n'est plus permis. Le muet nous perdra si... nous ne le mettons pas dans l'impossibilité de nous nuire.

– Ah ! si l'on avait voulu suivre mes conseils ! dit Charlot, l'on ne serait pas réduit à se cacher et à trembler pour sa chère liberté... Je voulais tuer ce chien d'espion après le vol. Il nous avait vu : le motif était suffisant. Il ne fallait pas attendre qu'il nous dénonçât... On a mieux aimé lui faire faire une promenade sur l'eau. On a voulu lui donner une chance ; vous verrez s'il nous en donnera, lui.

– C'est moi, répond le charlatan qui me suis opposé au meurtre. Je le croyais inutile, d'abord parce que le muet ne pouvait pas nous voir commettre le vol, ensuite, parce qu'il ne peut rien dire, puisqu'il ne parle pas.

– Ce qui est fait est fait, ce qui est écrit est écrit, dit de nouveau le chef, laissons cela. Il s'agit de décider comment nous allons agir à l'égard de ce jeune homme qui amène la police dans notre retraite.

– Charité bien ordonnée commence par soi-même, observe Racette, qui n'a rien dit encore, et s'aperçoit que tout n'est pas rose dans la carrière de brigand.

Il a bien reçu une petite part de l'argent trouvé dans les vieux bas d'Asselin, mais il n'a pas songé aux obligations qu'il contractait en acceptant ce revenu mystérieux. Voler ne lui répugne guère. Le voleur ne songe pas qu'il s'expose à devenir meurtrier. Mais il comprend tout à coup l'effrayante alternative où se trouve parfois le voleur : être pris et condamné, ou devenir assassin. Il ne peut pas reculer : ses complices le soupçonneraient de trahison à son tour, et un soir, dans les ténèbres, en quelque lieu désert, un coup de poignard ou une balle sauraient bien les venger.

Après la remarque évangélique du maître d'école, Robert dit que, pour lui, il est bien résolu de faire disparaître tous ceux qui se trouveront sur son chemin, mais qu'il faut de la prudence. Le charlatan est d'avis que tout retard serait fatal. Le chef reprend la parole :

– Déterminons d'abord, dit-il, ce que nous voulons faire : nous chercherons ensuite les moyens d'accomplir nos desseins. Devons-nous, sur un soupçon, bien raisonnable du reste, de dénonciation, condamner le muet à mort, ou devons-nous attendre des preuves de sa trahison ?

– Qu'il meure ! crie le charlatan.

– Attendons qu'il nous ait dénoncés ! dit Charlot, d'un ton ironique, il sera bien temps !

– Pas de grâce ! répond Robert.

Racette ne dit rien.

– Quelle est votre opinion, maître d'école ? demande le chef.

Racette répète avec emphase :

– Charité bien ordonnée commence par soi-même !

Le chef, debout, prononce gravement :

– Monsieur Djos, surnommé le muet, vous êtes condamné à subir la peine capitale, c'est-à-dire à être pendu, assommé, poignardé, noyé, étouffé, fusillé, écartelé, etc., etc., par tous et chacun de nous, à savoir par moi le chef, le docteur, le canotier, le marchand de bois et le maître d'école, dès que se présentera une occasion favorable de vous rendre ce service, et jusqu'à ce que mort s'en suive... Et que le diable ait pitié de votre âme !...

Eusèbe Asselin descendit à Québec aussitôt qu'il apprit l'élargissement du muet. Son triomphe avait été court, et le désappointement promettait de durer. Il épancha toutes ses craintes dans le cœur de son beau-frère, le maître d'école. Le beau-frère ne voulut pas révéler les secrets de sa nouvelle profession, et le sort réservé au muet. Mais il invita le tuteur coupable à ne pas désespérer, lui faisant remarquer, avec raison, qu'un nouveau hasard pouvait encore, d'un moment à l'autre, changer le cours des événements, relever ceux qui sont à terre et renverser ceux qui sont debout.

Racette avait d'abord pensé aussi lui que le muet pouvait être le voleur, et ce n'était que par mesure de prudence, – comme il appelait sa criminelle action –, et pour rendre la justification de ce jeune homme impossible, qu'il lui avait glissé quelques piastres dans la ceinture de son pantalon. Quelques jours plus tard, quand on lui donna sa part d'une somme dont il ne connaissait ni le montant ni la provenance, il eut un soupçon de la vérité. Il comprit les trois jours d'absence du charlatan, de Robert et de Charlot ; mais il ne comprit point pourquoi on lui avait caché leur expédition.

« Ils sont toujours bien honnêtes ces compagnons, pensa-t-il, puisqu'ils ne m'ont pas oublié dans le partage. »

Cependant l'amour de l'or lui fit mépriser la voix du sang ; et s'il plaignit son beau-frère, il ne se donna nul trouble pour lui retrouver son argent.

Asselin se souvint des paroles imprudentes qu'il avait dites, dans l'auberge de *l'Oiseau de proie*, un jour qu'il s'était grisé en compagnie du *docteur au sirop de la vie éternelle*, et de quelques autres individus dont il ne se rappelait pas les noms. Il parla de cette imprudence à Racette. Celui-ci répliqua que ces paroles avaient pu être recueillies par les oreilles indiscrètes des flâneurs, qui passent d'une auberge à l'autre, pour espionner les honnêtes gens et se faire payer un verre. Il promit de s'occuper de l'affaire et de retrouver tous ceux qui étaient à l'auberge en ce moment-là. Il était sincère. Mais le motif de son honnêteté n'était pas ce que croyait Asselin. Le maître d'école venait de vendre sa liberté, et sa vie peut-être, à la bande dont il faisait désormais partie. Un pareil sacrifice valait quelque chose ; et il songeait à le faire payer un peu sans plus de délai. Il se dit qu'il avait le droit de parler haut maintenant dans les assemblées, de défendre ses propres intérêts et de faire triompher ses idées s'il le pouvait. Il se sentit pris d'une grande ambition et se demanda pourquoi lui, un maître d'école, ne deviendrait pas le chef d'une troupe d'ignorants ! Il avait de riches dispositions à la scélératesse. Le premier pas seul coûte un peu dans le bien comme dans le mal, et l'énergie mène loin dans le bon comme dans le mauvais chemin. Racette affecte de savoir ce qu'il ne fait que soupçonner, et reproche rudement aux voleurs de ne pas respecter les parents de leurs associés. Ce coup de massue inattendue et soudain déconcerte tout le monde. On veut nier ; mais on le fait gauchement. Le maître d'école, voyant le succès de sa ruse, paie d'audace, et simule une grande colère :

– Non seulement vous dépouillez mes parents, reprend-il, mais vous manquez de franchise en niant votre faute. Ce n'est pas ainsi que vous vous attacherez des hommes de cœur et de dévouement ! Si nous avons des secrets les uns pour les autres, nous ne sommes plus de vrais amis, et si nous ne sommes pas de vrais amis, nous nous perdrons.

Le chef, pris au piège, lui réplique que lorsque le vol avait été commis, les voleurs ignoraient les liens de parenté qui l'unissent à Asselin, et que bien sûr il n'en aurait pas été de même, si ces liens eussent été connus. Racette s'apaise, mais il exige qu'une partie de l'argent trouvé dans les vieilles casquettes et les bas troués de M. Asselin soit rendue à son propriétaire. La proposition ne plaît qu'à demie. Cependant il faut s'exécuter.

– Asselin sera heureux de retrouver la moitié de ce qu'il a perdu. Quand on n'espère rien, peu de chose fait plaisir, dit le maître d'école. Il ne saura jamais d'où reviennent ses piastres, et en retour, moi, quelque jour, je vous conduirai à bon port.

Le maître d'école dit alors à ses complices qu'il a un service à leur demander. Il leur raconte ses amours avec Geneviève et l'infidélité de son amie. Il leur rappelle l'enfant qu'il a arrachée des mains du muet, un soir à *l'Oiseau de proie*, et leur apprend que cette petite fille qui l'a appelé son oncle, n'est pas sa nièce, mais la nièce d'Asselin et l'héritière de la moitié du plus beau bien de Lotbinière. Il leur dit qu'il veut revoir Geneviève et se venger d'elle, reprendre l'enfant, qui est fort jolie, et la confier à la Drolet pour la perdre à jamais. Il promet une jolie récompense à ses compagnons, si l'enfant disparaît.

– Maintenant, ajoute-t-il, voici ce que j'attends de vous, c'est que vous m'aidiez à accomplir mes desseins.

– La chose est facile, répond le chef.

– D'autant plus facile que la maison où sont cachées mes chères amies, se trouve à six lieues, dans un endroit isolé, sur le bord du fleuve.

– Où ?

– À Château-Richer, dans la maison même où nous avons arrêté le muet. Un hasard sans pareil, un coup de la Providence...

– Nous irons en chaloupe, cela n'éveillera point les soupçons.

– Nous ferons la pêche au large, en attendant la nuit.

– Quand voulez-vous faire cet exploit ?

– Demain, repart le maître d'école.

– Nous irons tous.

XII

L'orage

Le lendemain une chaloupe, montée par six hommes, sortait de la rivière Saint-Charles. Une légère brise enflait la voile ; la mer commençait à baisser et les navires à l'ancre évitaient. La chaloupe passa sur la batture de Beauport, et découvrit bientôt la nappe du Montmorency qui tombe d'une hauteur de deux cent quarante pieds, dans un bassin limpide, entre des rochers abrupts qui s'avancent comme deux bras pour la protéger ou la saisir. La blanche écume de l'onde qui se déchire et se brise sur les angles de la pierre, est comme un immense drapeau blanc que le vent secoue avec fureur. Et, comme une éclatante fumée, la vapeur tourbillonne au pied et monte jusqu'au faîte de cette cataracte magnifique. On croirait que la rivière se précipite dans un brasier qu'elle éteint. On croirait que le brasier mugit de colère et veut étouffer sa rivale dans les brillantes spirales de sa fumée. La chaloupe passa devant la chute, et les brigands, pas plus que les autres mortels, ne purent demeurer insensibles aux attraits de ce spectacle merveilleux. La brise se calma tout à fait vers le soir, la voile fut roulée autour du mât, et le mât, couché sur la chaloupe. Alors deux des brigands se mirent à ramer. Les rames de frêne faisaient rendre aux tolets un cri plaintif et monotone. Le sillon léger de l'embarcation mourait avant d'atteindre le rivage, comme dans l'espace une voix lointaine. Les arbres des bords paraissaient remonter le fleuve. Les plus rapprochés fuyaient plus vite. La chaloupe passa devant l'église de l'Ange-Gardien, l'une des plus humbles de la côte pittoresque de Beaupré, puis devant l'église de Saint-Pierre-d'Orléans, juchée haut sur les bords escarpés de la plus belle des îles. Deux autres rameurs remplacèrent les premiers. Le chef tenait le gouvernail.

Racette se délecte dans l'espoir d'une belle vengeance, et sa passion pour Geneviève se réveille plus violente que jamais. Il cherche des yeux la grande maison à pignon rouge, car déjà la flèche du Château-Richer paraît en arrière de la chaloupe, et cette maison doit être à une vingtaine d'arpents plus loin que l'église.

– Voyez-vous, dit-il, là-bas, entre ces deux grands ormes, une cheminée blanche ?

Et il montre de la main.

– Oui, répondent les voleurs.

– Bien ! ce n'est point là !

On se met à rire.

– Mais c'est tout à côté, continue-t-il, et l'on verra le pignon rouge dans une minute.

En effet, une minute ne s'est pas écoulée que la grande maison blanche à pignons rouges de Lepage se dessine nettement sur le fond noir des arbres, au pied de ce rocher qui court le long du fleuve avec sa chevelure d'arbres magnifiques sur le côté, et, sur la tête, comme une corbeille de fruits, ses champs féconds.

– Arrêtons-ici ; mouillons ! ordonne le chef.

Pendant que les bandits, assis ou demi-couchés sur les bancs de leur chaloupe, s'amusent à boire et à fumer, jetant de temps à autre une ligne sans appât aux poissons indifférents, pour tromper les curieux qui voudraient les espionner, plutôt que les inoffensives carpes rondes, un nuage sombre monte sur la chaîne bleue des Laurentides. Une brise fraîche s'élève tout à coup, et fait courir un frisson sur le sein du fleuve. Un léger clapotement commence sous les flancs de la chaloupe.

– Tant mieux si l'on a du vent cette nuit ! dit le maître d'école : il nous sera plus facile de retourner à Québec.

Le nuage monte vite et s'étend sur le ciel, au-dessus du fleuve, comme un immense couvercle noir qui serait tombé du faîte des montagnes. La brise a des accès de fureur, et alors elle soulève l'eau comme une poussière. Bientôt les vagues se creusent et le fleuve devient semblable à un champ labouré. Comme les blanches fleurs du sarrasin s'agitent au vent sur les sillons, ainsi s'agitent les panaches des flots en courroux. Le tonnerre gronde, et son murmure solennel ressemble au bruit des chars sur un pont élevé ; et, comme d'autres tonnerres non moins terribles, les échos du cap Tourmente répètent tour à tour ses sonores grondements. Des éclairs déchirent les nues en se tordant comme des serpents de feu.

– Allons à terre, dit le chef.

– Ou bien sur un des îlets, reprend Charlot.

Les autres sont d'avis qu'il vaut mieux chercher un refuge sur un îlet, que de s'exposer à être vus sur le rivage, et peut-être reconnus.

– Mettons-nous à la voile ? demande le charlatan.

– Pourquoi pas ? la chaloupe est sûre.

La chaloupe dansait comme une bacchante prise de vin. Il ne fut pas facile de planter le mât et de dérouler la voile. Cependant après quelques minutes, l'embarcation s'élance rapide et penchée vers l'îlet. La pluie tombe par torrents, et la clameur du fleuve redouble.

– Tonnerre ! dit le chef, raidis l'écoute, Robert, il faut arriver.

Robert tire de toutes ses forces sur la drisse qu'il attache à l'un des taquets. La voile s'élève, se tend et reçoit le vent de plus près. La chaloupe se précipite comme un coursier sous un coup de fouet. Une bourrasque mugit au même instant.

– Lâche l'écoute ! hurle le chef.

Il était trop tard. La voile tendue vient frapper les ondes : la chaloupe demeure quelques instants sur le flanc, puis peu à peu le mât s'enfonce avec la toile appesantie par l'eau ; elle chavire tout à fait. Les brigands poussent un cri de rage en se cramponnant à la frêle embarcation.

Sur le bord du rivage, un jeune homme s'était arrêté regardant la chaloupe audacieuse qui ouvrait son aile dans le vent d'orage. Un canot se trouvait près de lui, à sec sur les galets, et, tout près du canot, un bouquet d'aunes dont les rameaux serrés offraient une légère protection contre la pluie et le vent. Le jeune homme ne voulait pas s'éloigner du canot avant que les imprudents pêcheurs ne fussent en sûreté, car il prenait pour des pêcheurs attardés les cinq brigands. Il se blottit sous la talle d'aunes. Il était là, grelottant depuis quelques minutes, quand la chaloupe tournoya comme un oiseau que le plomb a blessé dans les ailes. N'écoutant que son courage, et confiant dans son habileté à manier l'aviron, il pousse le canot sur la vague écumeuse et saute dedans. La mer montait et le vent soufflait du nord. Il n'éprouve pas de difficultés à s'éloigner de la rive. Il rame avec force, tenant toujours le canot vent arrière. Cependant les vagues secouent leurs aigrettes d'écume dans le frêle esquif, et deviennent de plus en plus terribles à mesure que le fleuve est plus profond. Le dévoué garçon regarde les cinq malheureux cramponnés à la quille de la chaloupe, et se dirige sur eux. Il se recommande à Dieu et à sainte Anne, comprenant bien le danger sérieux auquel il s'expose volontiers. Il est consolant de savoir que l'amour de Dieu compte encore plus de dévouements que l'amour de l'or, et que la charité fait plus de martyrs que l'égoïsme.

Le vent jeta les naufragés sur l'îlet qu'ils désiraient atteindre. Alors le jeune homme fut tenté de virer ; mais il craignit de verser en présentant au vent et aux flots le côté de son canot sans défense. Il continua de fuir devant la tempête : ce fut son salut. Il atterrit à l'autre extrémité de l'îlet. L'orage commençait à perdre de sa fureur. Une barre lumineuse ceignit, comme une auréole, le front des montagnes ; la pluie cessa peu à peu, et le tonnerre lointain laissa dormir les échos du cap Tourmente.

Le soir est venu, le jeune homme est tout trempé. Il tire son canot à sec, et se met à marcher pour ne pas refroidir, car l'air est froid. Il se dirige vers l'autre bout de l'îlet, curieux de connaître les malheureux pour lesquels il a risqué sa vie. Il marche pendant une vingtaine de minutes, tantôt sur les bords rocailleux, tantôt sous les broussailles humides. Les ombres descendent vite sur le fleuve. Il est tenté de rebrousser chemin, afin de repasser la rivière avant la nuit. Il s'arrête. Le fleuve, encore tourmenté, se plaint et brise sur les récifs et les rivages. Il croit distinguer un rire d'homme au milieu de ces plaintes immenses. Il avance davantage. Le même rire infernal jaillit comme un éclair dans le nuage. Il marche encore. Alors des voix distinctes arrivent à ses oreilles. Il écoute.

– Par tous les diables ! disait une voix, nous l'avons échappé belle ! Où serions-nous maintenant ?...

– Avec les poissons !

– Chez le diable !

– Un peu plus tôt ou un peu plus tard, cela importe peu, répondait une autre voix.

– La chaloupe allait si vite, reprit la première voix, que je n'ai pas eu le temps de penser à la bonne sainte Anne !...

– Si nous avions fait un vœu, les gens diraient que c'est le vœu qui nous a sauvés.

– C'est bon pour le muet de faire des vœux !

Le jeune homme, surpris, redoubla d'attention.

– La chaloupe est-elle en ordre maintenant ?

– Prête à vous recevoir, chef.

– Les rames sont restées dedans ?

– C'est une chance ; naufrage complet : pas une perte de vie, pas une rame de moins !

– Non, mais la bouteille de rhum est allée au fond.

– Vaudrait mieux avoir perdu les deux rames. Les carpes vont faire une fête !

– Tu ne dis rien, Racette ? penses-tu à Geneviève ?

– Je gèle !

– Tu te réchaufferas tantôt.

– Es-tu toujours décidé à enlever l'enfant ?

– Varenne d'un nom ! Est-on venu ici rien que pour le plaisir de prendre un bain froid ? Il faut se dédommager pleinement des misères que l'on endure.

– Avez-vous vu ce fou qui se promenait en canot ?

– Je me demande pourquoi il s'exposait ainsi.

– Pour venir à notre secours, peut-être.

– Mais il est passé tout droit, et son canot est disparu derrière la pointe. Il me semble qu'il serait venu aborder près de nous si notre infortune l'eût touché.

– Nous pourrons traverser bientôt, la mer se calme.

– Sommes-nous loin de la maison à pignons rouges, Racette ?

– Environ trois quarts de lieu, chef.

– L'un de nous ira demander l'hospitalité, puis quand les gens de la maison seront endormis, il ouvrira la porte aux autres, c'est entendu.

Ainsi causaient les cinq brigands.

Le jeune homme, terrifié de ce qu'il vient d'entendre, regagne son canot.

XIII

Une partie de piquet interrompue

Il pouvait être neuf heures du soir. M. Lepage avait fait une grosse *serrée*, et, fatigué du labeur de la journée, il se disposait à se mettre au lit après avoir réveillonné copieusement, quand il entendit frapper à la porte. Mme Lepage et Geneviève, assises à une table, jouaient au piquet. La petite Marie-Louise tenait les comptes, et marquait les points avec des cartes taillées à cette fin. Mme Lepage était en mains, et commençait à annoncer son jeu quand on frappa. Elle fut contrariée car elle comptait six de cartes, une quinte au roi et trois as. Elle espérait faire le pic, ou soixanter, comme on dit chez nous.

– Qui est-ce qui nous dérange ? murmura-t-elle.

Elle n'avait pas fini que la porte s'était ouverte. Tous les yeux se fixèrent sur l'individu qui se permettait de troubler une partie de piquet. Un sentiment d'effroi glaça les deux joueuses qui laissèrent tomber leurs cartes en poussant une exclamation étouffée :

– Le voleur !

Celui qui entrait n'avait point de souliers dans les pieds ; il n'avait point, non plus, de chapeau sur la tête. Il était trempé jusqu'aux os. Il salua sans rien dire les gens de la maison, et montra ses vêtements et le feu qui flambait dans la cheminée. Mme Lepage, voyant la surprise de son mari, s'avança vers le nouveau venu et lui dit avec fermeté :

– Chauffez-vous si vous le voulez, faites sécher vos hardes, mais vous ne coucherez pas ici.

– Pourquoi parles-tu donc comme cela, Marguerite ? demande M. Lepage.

– Pourquoi ?...

Elle hésite un moment, s'approche de son mari et lui répond à voix basse :

– C'est un voleur !... c'est le garçon muet que des gens de la police ont arrêté ici il y a quelques semaines.

– Tu ne me le diras plus ?

– Il faut qu'il se soit échappé de la prison, continue la femme de plus en plus épouvantée.

Geneviève avait attiré l'enfant à elle et surveillait tous les mouvements du muet. Elle avait peur, et pourtant ce garçon ne lui avait jamais fait de mal, non plus qu'à la petite Marie-Louise ; mais c'était peut-être un pressentiment qui la troublait. Par une inexplicable fatalité, l'infâme maître d'école semblait suivre de près le muet. Elle tremblait de voir apparaître le monstre.

Le muet avait repris, avec une humilité touchante et une foi profonde, son pèlerinage de la bonne sainte Anne. Il devait de grandes actions de grâces à Dieu qui le protégeait d'une manière évidente. Dieu l'avait sauvé d'une mort affreuse dans les eaux du fleuve ; il l'avait délivré des mains des hommes iniques qui cherchaient à le perdre ; et il allait faire resplendir son innocence aux yeux des hommes de bonne volonté. Quelques familles, il est vrai, et celle de M. Lepage était de ce nombre, quelques familles n'avaient pas encore appris les nouvelles de son innocence et de sa délivrance ; mais la rumeur, qui se répand avec vitesse, fera bientôt connaître l'une et l'autre jusque dans les villages les plus éloignés.

Le pèlerin cheminait en priant dans son cœur pour ses ennemis. Il ne savait pas les complots qu'ils avaient tramés contre lui. Pendant que les brigands, réunis chez mademoiselle Paméla Racette, décrétaient sa mort, lui, à genoux sous la nef simple mais admirable de la vieille cathédrale, il épanchait son âme dans le sein de Dieu. Par une coïncidence singulière, où l'on peut reconnaître le doigt de la Providence, il s'acheminait vers le sanctuaire de Sainte-Anne, le jour même que le maître d'école avait choisi pour descendre au Château-Richer se venger de Geneviève et ravir l'enfant à ses parents adoptifs. C'est lui qui s'est arrêté sur le rivage pour voir la chaloupe imprudente tendre sa voile au souffle de la tempête ; c'est lui qui a risqué sa vie pour sauver les misérables cramponnés à la quille de l'embarcation chavirée ; c'est lui qui a surpris les paroles compromettantes des brigands sur l'îlet. Et il s'est hâté de revenir pour déjouer les projets de ces hommes pervers.

Il s'approche du feu. L'eau de ses habits coule sur le plancher autour de lui, et, par moment, il frissonne comme un malade qui a la fièvre.

– Cela fait de la peine, dit M. Lepage, de le voir grelotter ainsi : j'ai envie de lui donner des vêtements en attendant que les siens puissent sécher.

– Fais comme tu voudras, répond Mme Lepage, mais il pourrait bien oublier de te les rendre.

– Il ne peut pas s'en aller sans qu'on le voie.

M. Lepage s'avançant alors vers le pèlerin lui offre des habits, et à sa grande surprise le pèlerin refuse.

– Il faut au moins que vous vous chauffiez comme il faut, dit M. Lepage, en jetant dans le feu plusieurs morceaux de bois sec qui s'enflamment et pétillent gaiement. Dans tous les cas si vous ne voulez point changer d'habits, vous allez prendre une ponce à la jamaïque, cela vous fera du bien, continue le brave cultivateur.

Le pèlerin fait signe qu'il ne prendra rien, si ce n'est un peu de pain. M. Lepage insiste : c'est inutile.

« Singulier voleur, pense-t-il, qui ne prend pas un verre de rhum, pas même une ponce quand il en a besoin. »

« Qui sait si ce n'est pas à dessein et pour mieux nous tromper ? pense Mme Lepage. »

On servit du pain et du lait au pèlerin, et pour ne pas l'éloigner du foyer bienfaisant, on mit près de lui la petite table qui servait à faire le cent de piquet. Le pèlerin mangea peu. Avant et après son modeste repas, il fit un grand signe de croix. Les gens de la maison pensaient : « C'est un fameux hypocrite ! », car ils le croyaient véritablement voleur et puis échappé de la prison. Ils avaient su – et Racette lui-même, dans sa prévoyance de scélérat, avait pris soin de le leur faire savoir – qu'il avait été trouvé coupable et condamné à cinq ans de pénitencier.

Cependant le muet va de temps en temps à la fenêtre qui donne sur le fleuve, et ses yeux semblent chercher quelque chose dans les ténèbres. On suit ses gestes avec inquiétude.

« Il a peur d'être arrêté de nouveau, pense-t-on. Il se tient prêt à se sauver. »

Ses vêtements, presque secs, sont devenus chauds, et pour peu qu'il demeure assis, la chaleur le porte au sommeil. Fatigué d'une longue marche, plus fatigué encore d'avoir ramé dans son canot secoué par l'orage, il s'endort enfin sur sa chaise.

– Va-t-il coucher ici ? demande Mme Lepage à son mari.

– On ne peut pas mettre un chrétien dehors, en cette saison, les nuits sont trop fraîches, reprend M. Lepage ; on le fera monter dans la petite chambre du grenier et je *barrerai* la porte.

– Oui, dit Geneviève à voix basse, il faudra le renfermer.

M. Lepage alla toucher le muet sur l'épaule pour l'éveiller. Le muet fit un bond et se dressa tout surpris. Il rêvait aux brigands et voyait leurs mains s'avancer toutes ensemble, pour l'étrangler.

– Voulez-vous vous reposer ? dit Lepage, nous avons un bon lit à vous offrir.

– Le pèlerin fit signe que non.

– Vous ne passerez pas la nuit debout ou assis près du feu.

– Acceptez la chambre que l'on vous offre, ou vous irez coucher ailleurs, dit Mme Lepage...

Le muet se lève, regarde à la fenêtre, compte le nombre cinq sur ses doigts, montre la petite fille et Geneviève, et fait des gestes singuliers que personne ne comprend mais qui effraient tout le monde.

« Il est fou ! » pense Lepage.

– J'ai peur dit Geneviève : je ne veux pas qu'il couche ici...

Le muet gesticule toujours, et de plus en plus il jette l'émoi dans la maison. Il s'en aperçoit et se prend à réfléchir. Il a une idée : se taire, accepter le lit qu'on lui offre et veiller pour donner l'alarme. C'est simple et raisonnable. Il fait comprendre qu'il veut dormir.

– Voulez-vous un lit ? lui demande-t-on.

Sur un signe affirmatif, on lui montre le grenier. Il incline la tête pour dire que cela lui est indifférent. Alors il est conduit à une chambre propre et blanchie, dont l'unique fenêtre découpée dans le pignon rouge, se trouve à quinze pieds du sol. La porte n'a point de serrure. M. Lepage passe, dans la poignée de fer battu, une aune dont les bouts s'arrêtent sur le cadre, de chaque côté. Le muet est bien enfermé.

C'était l'heure du repos, chacun se retira dans sa chambre.

Geneviève et Marie-Louise partageaient la même couche. La fille repentante ne voulait pas se séparer de sa petite protégée. Personne n'avait encore pu goûter le sommeil car l'incident de la soirée avait troublé les esprits, quand de nouveaux coups se firent entendre dans la porte. M. Lepage alla ouvrir. Un homme entra ; il était comme le muet, trempé jusqu'aux os ; il demanda l'hospitalité pour la nuit.

– J'ai failli me noyer, dit-il, dans la tempête que nous avons eue vers le soir. Vous avez peut-être vu une chaloupe de pêcheur faire voile pour l'un des îlets où elle espérait arriver sans accident ?

– Oui, répondit Lepage, nous avons vu chavirer cette chaloupe. Vous étiez à bord ?

– Oui, monsieur, continua le brigand, nous étions cinq, et Dieu, dans sa bonté infinie, nous à tous sauvés.

– C'est une faveur évidente du Ciel.

– Je le crois aussi, et je veux me rendre demain à Sainte-Anne, pour y remercier la Providence, dans cette église privilégiée.

– Vous faites bien, monsieur ; il faut être reconnaissants envers Dieu des grâces dont il nous comble. Mais où sont vos compagnons ?

– Nous n'avons pas voulu entrer tous cinq dans la même maison : il ne faut pas abuser de la bonté des gens ; chacun est allé de son côté.

– J'aurais été heureux de vous donner un gîte, et de vous réconforter un peu ; mais je sais bien que mes voisins ne feront pas moins que moi. Cependant je crois qu'il y en a un des vôtres ici.

– Le brigand le regarda avec surprise.

– Je ne crois pas, répondit-il.

Lepage reprit :

– J'ai tort de dire cela, car celui qui est couché au grenier est un voleur, paraît-il : c'est le muet pris ici même il y a quelques semaines, et condamné à cinq ans de pénitencier.

– Le muet est ici ?

– Couché au grenier.

Le brigand fut un moment tout décontenancé, mais il se remit quand Lepage ajouta :

– Il faut qu'il se soit échappé de la prison, car c'est bien lui, n'est-ce pas, que l'on a trouvé coupable de vol, et condamné à cinq ans.

– Oui, c'est lui ! Il est ici ?... La police le cherche partout... enfermez-le ! Ne le laissez pas sortir et vous aurez une bonne récompense.

– La porte de sa chambre est barrée. Il ne peut sortir que par la fenêtre du grenier, mais il court risque de se casser une jambe s'il saute de là. Il faut aider la justice à triompher. La religion nous le dit... Vous allez changer d'habits, vous chauffer, manger, prendre un petit verre de bonne jamaïque. Il faut que vous puissiez dire qu'Athanase Lepage n'est pas tout à fait un mauvais chrétien.

Le brigand était dans la jubilation. Il fut traité avec une bienveillance et une charité vraiment évangéliques. Comme il allait se mettre au lit, un violent coup de pied ébranla la porte de la chambre du muet.

– Laissons-le se débattre, dit Lepage.

Cependant le muet faisait un vacarme d'enfer.

M. Lepage monta.

– Tenez-vous tranquille, dit-il, je vous connais, vous êtes bien enfermé et vous ne sortirez point.

XIV

Folle de peur

Les cinq bandits, ballottés par la tempête, accrochés comme des sangsues aux flancs de leur chaloupe renversée, tremblent en levant vers le ciel des regards suppliants. Ils ne blasphèment plus, les lâches, mais demandent leur salut à ce Dieu de miséricorde qu'ils n'ont cessé d'outrager. Ils promettent de renoncer à leur vie criminelle. Le vent et les courants les portent rapidement sur l'îlet. Quand ils ne sont plus qu'à une courte distance des bords, ils cessent d'invoquer la Providence, et poussent d'énormes jurons, s'écriant qu'ils sont sauvés. Il remettent la chaloupe sur sa quille et cherchent un refuge sous le feuillage épais en attendant la nuit. La tempête passe, les vagues s'apaisent, et les ombres paraissent monter du pied des caps et des collines, paraissent sortir de toutes les baisseurs, de tous les ravins et de tous les enfoncements, pour s'étendre, comme un immense pavillon noir, au-dessus de la mer et des campagnes. Alors, oubliant leurs promesses et leurs résolutions déterminées par la peur de la mort, les brigands se rembarquent, prennent les rames et se dirigent, au hasard, vers la maison à pignons rouges. Le hasard, qui est mystère pour nous, mais qui est le secret de Dieu, pousse, comme une brise favorable, l'embarcation vis-à-vis la maison de Lepage, sur une grève rocheuse. Les bandits descendent à terre et l'un d'eux, marchant dans l'eau, repousse la chaloupe aussi loin que possible, la mouillant au large, afin qu'elle n'échoue pas et soit prête à cingler vers Québec, avec la jeune victime que l'on va enlever à ses gardiens. La chaloupe se rend au bout de sa chaîne et revient comme un cheval que les rênes tendues font reculer. Les cinq hommes suivent un sentier qui aboutit à la maison. Leur plan est bien mûri. Charlot doit entrer seul et demander l'hospitalité. Quand tout le monde sera plongé dans le premier sommeil, car le premier est toujours le plus profond, il ouvrira la porte aux autres ; une fois entré, l'on ne doit sortir qu'avec l'enfant. Tant mieux si personne ne s'éveille ! tant mieux pour les gens de la maison. Si quelqu'un tente de résister ou de donner l'alarme, tant pis pour celui-là ! Des mesures sont prises pour que l'expédition n'échoue point.

Charlot était donc entré chez Lepage et, comme on vient de le voir, avait reçu la plus franche hospitalité. Il étudia la maison, compta les appartements, remarqua bien la chambre de M. et de Mme Lepage, mais observa mieux celle de Geneviève et de Marie-Louise. Cependant la présence du muet lui causait une vive inquiétude. Il savait bien que, prisonnier dans sa chambre, il ne pouvait sortir ; mais il pouvait empêcher les gens de dormir, et rendre l'enlèvement difficile, sinon impossible. Il eut envie d'aller chercher un de ses complices. Aidé de Lepage et de ce complice, il pourrait enchaîner le robuste garçon et le rendre inoffensif, du moins pour le reste de la nuit. Alors tout le monde reposerait tranquillement. Mais pendant qu'il méditait ce projet et en étudiait les conséquences, le bruit cessa presque tout à fait au grenier : l'on n'entendit plus que les pas un peu embarrassés du malheureux qui rôdait dans sa chambre étroite, comme un lion dans sa cage de fer, cherchant une issue par où s'échapper, puis l'on n'entendit plus rien.

Un silence de mort enveloppe l'heureuse maison. C'est le présage de la tempête. Tour à tour chacun cède aux charmes du sommeil, les regards s'éteignent, et, pendant que les corps reposent sur les couches de paille fraîche et de plume, les esprits s'envolent et continuent à penser et à souffrir, à jouir et à aimer.

Deux heures sonnent à la grande horloge adossée au mur, dans le coin de la pièce principale, et le timbre clair semble jeter deux cris de douleur. Charlot se lève. Marchant sur le bout des pieds, il s'introduit dans la chambre de ses hôtes et s'assure qu'ils dorment bien. Alors il s'avance vers la porte d'entrée, lève le loquet de bois qui pèse sur la clenche et, sans produire le moindre son, il réussit à ouvrir. Ses compagnons entrent. Ils marchent tous cinq, en silence, et leurs pieds maudits glissent sans bruit sur le plancher, comme les pieds des spectres. Charlot en conduit deux à la chambre de M. Lepage : ce sont le chef et Robert. Il montre au maître d'école et au Charlatan la chambre de Geneviève ; et lui, il reste prêt à se porter du côté où l'on requerra ses services. Le Chef et Robert, debout près du lit où dorment M. et Mme Lepage, une main sur les pistolets passés dans leurs ceintures, écoutent le souffle régulier des honnêtes gens que les remords ne troublent point.

Racette s'avance le premier dans l'appartement de Geneviève ; le charlatan le suit. Il tremble, et sa main inhabile et mal assurée fait sonner légèrement la clenche de la porte. Geneviève s'éveille. Elle écoute, ne sachant si elle a rêvé ou si elle a réellement entendu quelque chose. Elle a peur car elle pense au muet enfermé dans le grenier. Pourtant la présence de l'autre étranger la rassure un peu. Elle ouvre les yeux tout grands dans l'obscurité, mais ne voit rien. Racette, surpris d'avoir fait sonner la clenche d'acier, n'a pas ouvert de suite. Il attend. Geneviève croit qu'elle a rêvé, mais ses yeux ouverts regardent toujours vers la porte. Tout à coup il lui semble qu'une lueur vague, indécise, presque nulle, se dessine à quelques pas. Elle sent une sueur froide aux pieds et aux mains. La lueur paraît s'élargir lentement. Geneviève regarde avec plus de fixité, mais elle ne bouge pas. Une fenêtre se trouvait vis-à-vis la porte. Quand celle-ci fut assez ouverte, Geneviève put voir, comme une plaque d'argent sur un cercueil d'ébène, le châssis blafard dans le mur noir.

« Mon Dieu ! pense-t-elle, la porte s'ouvre ! je ne rêve point !... »

Au même instant les charnières rendent un silement plaintif, et une ombre apparaît dans la pâle clarté de la fenêtre. Geneviève veut crier : le son expire dans son gosier serré par l'effroi, ses yeux fixes regardent toujours avec horreur le fantôme qui s'avance silencieux. Elle veut faire semblant de dormir, mais ses yeux ne peuvent se fermer : ils regardent toujours l'apparition lugubre. Elle n'ose respirer, et une masse lourde oppresse sa poitrine. Elle donnerait beaucoup pour que l'enfant couchée près d'elle s'éveillât et se mit à parler, et elle, paralysée par la peur, elle ne peut remuer un doigt, ni dire un mot.

« Si Lepage se levait ! » pense-t-elle.

Elle invoque Dieu. Et toujours le fantôme approche. Dans son effroi, elle n'en voit pas deux. Soudain, elle sent une main glisser sur elle, comme une vipère qui rampe sur les herbes tremblantes. Elle frémit. La main curieuse monte jusqu'à sa gorge. La malheureuse fille est glacée comme un cadavre. Elle s'efforce encore de crier et ne pousse qu'un râle amer. Elle s'imagine qu'elle en est empêchée par des doigts crochus qui la tenaillent et veulent l'étrangler. Un visage noir et brûlant se penche sur elle ; des baisers de feu tombent comme des gouttes de plomb fondu sur ses joues humides. Elle veut mordre le misérable ; elle ne mord qu'un linge épais qui lui serre la bouche. Elle veut déchirer de ses ongles le monstre qui la tient, mais ses mains ne sont plus libres. Elle essaie de se jeter en bas de son lit, et ses pieds, saisis par deux bras vigoureux, sont liés étroitement. Alors il se passe quelque chose d'indicible dans l'esprit épouvanté de la pauvre Geneviève. Elle se tord sur sa couche dans le plus affreux désespoir. Une douleur insupportable la saisit tout à coup à la tête, comme si elle était frappée par un marteau de fonte, et elle s'évanouit. L'enfant s'éveille, mais, saisie immédiatement par le charlatan sans pitié, elle est bâillonnée avant de pouvoir jeter un cri, et emportée hors de la maison.

Quelques instants après tous les brigands arrivaient sur le rivage.

XV

Je te vengerai

L'ex-élève, assis sur le bord du petit bateau passager, qui emmenait au marché les habitants de Deschambault, cherchait d'un œil avide, parmi les vieilles maisons de pierre de la rue Champlain, le toit de fer blanc jauni de *la Colombe victorieuse*. Il l'aperçut quand le bateau vira pour entrer dans la Place, et il sentit son cœur tressaillir. Tout ce qui se rattache à ce que l'on aime nous devient cher. Il débarqua le premier, et se dirigea vers le seuil où l'attendait sans doute, dans l'impatience, sa jeune bien-aimée. À mesure qu'il approchait, son cœur battait plus fort, et l'émotion serrait sa poitrine. Il passa sur le trottoir de l'autre côté de la rue, pour voir d'avance si la blonde fille ne serait pas assise rêveuse dans la fenêtre. Tout à coup il s'arrêta et la surprise fit pâlir son visage rougeaud. Les contrevents étaient fermés.

« Qu'est-ce que cela veut dire ? se demanda-t-il... qu'est-ce que cela veut dire ?... Pourtant, l'enseigne est encore au-dessus de la porte ! »

Un trouble singulier s'empare de ses esprits. Il se rend au seuil et frappe. Personne ne répond. Il frappe de nouveau et plus fort, mais en vain. Il regarde les passants qui chuchotent d'un air sarcastique ; il regarde l'auberge de *l'Oiseau de proie*, et voit dans les carreaux de la fenêtre la face hideuse de la mère Labourique qui rit d'un air moqueur. Il perd son sang-froid et sa présence d'esprit ; il a honte comme s'il se rendait coupable d'une action mauvaise. La bonne femme Labourique ouvre sa porte.

– Parties les colombes ! s'écrie-t-elle de sa voix éraillée, parties sans laisser leur adresse ! C'est mauvais signe, cela, mon garçon.

L'ex-élève, rendu à lui par ces paroles de l'hôtelière voisine, traversa la rue.

– Entrez ! lui dit la vieille femme, entrez, monsieur Paul : la mère Labourique n'est pas rancunière. Vous venez ici parce que vous ne pouvez pas entrer là, n'importe ! Elle vous recevra encore comme autrefois.

– Où sont-elles allées ? le savez-vous ? demande l'ex-élève.

– Sainte Barbe ! si je le savais, je vous le dirais de suite... Je connais trop bien les tourments amoureux de la jeunesse ! j'ai été jeune un jour... et, ce n'est pas pour me vanter, mais je n'étais pas laide... j'avais de la vogue... j'ai fait faire des folies à plus d'un galant... et, ma foi ! j'avoue que j'ai aimé jusqu'à l'adoration ; mais j'étais difficile ; je choisissais la fleur d'entre les fleurs... je ne m'amusais pas au premier venu... et puis je n'étais pas obligée de me cacher ou de disparaître d'une façon mystérieuse, du soir au lendemain, et ma Louise, je l'espère, ne sera jamais dans la triste nécessité de disparaître ainsi.

– Mais on dirait, la mère, que vous connaissez quelque chose de répréhensible dans la conduite de l'hôtelière de *la Colombe* ou de sa fille.

– Je ne dis pas cela, je ne veux pas médire, la médisance n'est pas mon défaut... Que chacun s'arrange comme il l'entendra, cela ne me regarde en rien. Tout de même, il y a du louche dans la manière d'agir de ces deux femmes, et je donnerais mon cou à couper que le propriétaire en est quitte pour ses frais.

– C'est plus que vous ne pouvez dire.

– Expliquez donc ça, vous ?

– Je ne fais pas de suppositions injurieuses ou vaines ; je n'explique rien, mais avant de juger je me renseigne et j'attends.

Il prit son chapeau et se disposa à sortir, la vieille et méchante hôtelière ajouta avec un sourire malicieux :

– Si vous les cherchez, vous ne ferez peut-être pas mal de monter au coin flambant.

L'ex-élève perdit patience. Rien d'implacable comme un amoureux.

– Taisez-vous, vieille méchante ! hurla-t-il, et il sortit.

Mille pensées diverses assaillent sa pauvre tête. Il a peur d'apprendre quelque fâcheuse nouvelle au sujet de la mère de sa bien-aimée ; il a peur de ne plus retrouver, naïve et candide comme il l'a quittée, la douce Emmélie. Il s'efforce de repousser ces doutes cruels dont il fait un crime aux autres, et malgré lui, ils reviennent sans cesse. Il désire savoir ce que sont devenues les deux femmes : il aime mieux connaître la vérité quelle qu'elle puisse être, que demeurer dans une incertitude aussi amère. Il accoste tout le monde, surtout les gamins, qui voient tout ce qui se passe, entendent tout ce qui se dit. L'un de ces derniers, qui joue à la *marraine* sur le trottoir où il a tracé, avec de la craie, des carrés et des triangles, lui dit que l'aubergiste de *la Colombe* a déménagé, la semaine précédente, et s'est embarquée à bord d'un petit bateau. L'ex-élève se rend à la Place, interroge les capitaines des berges, et n'a pas de peine à savoir que son Emmélie demeure maintenant à Lotbinière. Personne cependant ne peut lui expliquer le motif du brusque départ de l'hôtelière, ni la raison de sa retraite à la campagne. Il monte à Lotbinière. Une jeune fille qui revient du champ lui montre, du doigt, la maison des étrangers. Il craint d'y arriver. Il marche à pas lents, les yeux toujours fixés sur cette petite mais coquette maison. Il voudrait apercevoir dehors Emmélie ou sa mère et les saluer de loin. Il ne voit personne. Il attend une minute sur le perron avant de frapper. Un silence profond régnait à l'intérieur. Il frappe ; on lui dit d'entrer. À sa vue Emmélie qui se berce en cousant, devant une fenêtre, laisse tomber son ouvrage, et devient d'une pâleur livide. Elle ne peut se lever, ni parler. La mère salue d'un air triste, mais avec affabilité. L'ex-élève, dans l'embarras, balbutie quelques mots :

– Je ne vous croyais pas ici, mais encore à Québec.

– Québec ! répond la femme, je voudrais n'y être jamais allée !

– Comment ? Pourquoi donc ? demande l'ex-élève visiblement anxieux.

Emmélie se lève d'un brusque mouvement, porte son mouchoir à ses yeux et s'enfuie dans une autre chambre. Des larmes roulent dans les paupières de la mère.

– Mon Dieu ! dit l'ex-élève, je le vois, Emmélie ne m'aime plus !... Et moi qui venais avec tant d'espoir et de joie lui jurer que je l'aimerai toujours !

Un sanglot, parti de la chambre voisine, répondit à ce cri d'amour du fidèle garçon.

– Écoutez, répond la mère, et dites, si vous l'osez, qu'elle ne vous aime plus !

– Pourquoi me fuit-elle ?

Une pensée douloureuse traversa le cerveau de l'ex-élève. Il eut un soupçon horrible, il devint blême, et ses yeux étonnés interrogèrent la mère de son amie. La femme comprit ce qui se passait dans l'âme de Paul Hamel et elle se hâta d'ajouter :

– Emmélie n'est pas coupable, non ! Dieu le sait qu'elle n'est pas coupable !...

– Mais de quel crime l'accuse-t-on ?... Je n'ai entendu parler de rien.

– On ne l'accuse pas ; on ne peut pas l'accuser ; c'est l'innocence même ! Elle serait morte plutôt ! Oui ! nous serions mortes toutes deux, plutôt que de céder devant les menaces de ces misérables !...

Et elle se mit à pleurer. L'ex-élève s'assit et, se cachant le visage dans ses mains, attendit que cet excès de douleur fut passé. Dans la chambre voisine, Emmélie sanglote toujours et ses soupirs arrivent aux oreilles de son ami, comme de temps en temps arrivent, à une fenêtre grillée, les soupirs de la brise.

– Je ne partirai pas, répond enfin l'ex-élève, sans connaître la cause de votre peine.

– Mon Dieu ! si vous saviez ?...

– Vous me mettez à la torture ! parlez ! Madame, je vous en prie !...

– Les monstres !... ils étaient deux !... nous étions sans défiance, un soir...

– L'ex-élève se dresse : le feu roulait dans ses orbites, ses poings se crispaient.

– Qui ? où sont-ils ?

Et la femme continua.

– Ils nous auraient tuées... Emmélie a voulu se jeter par la fenêtre... Ils l'ont saisie, ils l'ont écrasée sur le plancher... deux hommes sont plus forts que deux femmes... deux hommes armés !...

L'ex-élève bondissait de surprise et de colère.

– Où sont-ils ? leurs noms ? dites ! parlez ! que je les tue comme des vers de terre, les monstres ! les maudits !

– Il ne faut pas, cependant, les confondre dans la même réprobation, car l'un se serait laissé toucher par les pleurs de l'innocence... et il nous aurait sauvées après avoir voulu nous perdre, si l'autre ne l'eut poussé au mal. Leurs noms, je ne les sais point. Il y avait un vieillard et un jeune homme. Celui-ci est grand et maigre. Il porte un sobriquet, car j'ai entendu ses amis l'appeler Picounoc...

– Picounoc ! répète l'ex-élève, Picounoc ! est-ce possible ?... Oh ! il en est bien capable...

– C'est lui qui voulait écouter les supplications de ma fille, comme je viens de vous le dire.

– Et personne n'était là pour vous défendre ?

– Nous avons crié. Des pas ont retenti sur le trottoir, des coups ont été frappés dans la porte... mais nous n'avons rien vu. Les scélérats ont eu peur et se sont enfuis... C'est le bon Dieu sans doute qui nous a prises en pitié et nous a protégées.

Cette déclaration rend le calme à l'ex-élève en le délivrant d'un outrageant soupçon. Il entre dans la chambre où s'est réfugiée la jeune fille ; il l'aperçoit à genoux, la face sur le lit :

– Emmélie, dit-il, Emmélie, je t'aime !... Vrai comme il y a un crucifix sur le mur, je t'aimerai toujours... Emmélie, tu seras ma femme ! veux-tu ?... le veux-tu ?

La blonde enfant, toute en larmes, les cheveux comme un voile de pudeur sur ses épaules, se relève et tombe dans les bras du noble garçon qui la serre contre sa poitrine dans une étreinte d'une infinie douceur.

XVI

Une rame qui ne fouette pas l'eau

Lepage se leva de bonne heure et fit sa prière du matin, à genoux près de son lit. Jamais travaux assez pressants ne lui faisaient omettre ce pieux devoir. Ceux qui n'avaient pas le temps de prier, n'arrivaient souvent au champ qu'après lui, ne supportaient pas aussi bien les contretemps, et ne se trouvaient nullement plus riches, à l'automne. Il marcha légèrement sur le plancher sans tapis, afin de n'éveiller personne, et sortit pour aller couper. Il fut surpris de trouver la porte débarrée. Il pensa qu'il avait oublié de mettre le loquet. En allant à l'ouvrage, il offrait à Dieu sa journée, et regardait avec admiration les merveilles de la nature qui publient sans cesse la puissance et la bonté de l'éternel Créateur.

Geneviève était matineuse. Mme Lepage fut surprise de ne point l'entendre balayer, et de ne point la voir préparer, au feu de l'âtre, le déjeuner frugal. Elle supposa que la présence du muet dans la maison l'avait empêchée de dormir, et qu'elle n'avait cédé au sommeil que le matin, alors qu'avec les ténèbres s'envolent les craintes vagues et les folles terreurs. Cependant comme le soleil montait et que le calme le plus profond régnait toujours dans toutes les parties de la maison, d'ordinaire à cette heure pleine de mouvement et de vie, Mme Lepage entra dans la chambre de Geneviève. Elle recula d'épouvante en poussant un cri. Geneviève la regardait avec ses grands yeux secs et vitreux. Ses cheveux dénoués et mêlés couvraient une partie du traversin de plume. Son oreiller était tombé à terre. Les mains et les pieds de la malheureuse fille, étroitement liés aux poteaux du lit par des courroies de cuir, paraissaient enflés et couverts de taches bleue. Un épais bandeau pressait, comme un cercle, sa bouche muette. La place de la petite Marie-Louise était vide.

Mme Lepage sortit dehors en criant. Les voisins l'entendirent : ils accoururent. Lepage se redressant pour aller déposer ses poignées de grain, regarda du côté de la maison et vit les gens qui couraient en se dirigeant tous au même endroit. Il se douta qu'il y avait quelque chose d'étrange, planta sa faucille sur un piquet de cèdre et partit.

Les voisins entrèrent, défirent les liens qui enchaînaient Geneviève, enlevèrent son bandeau de linge et lui rendirent la liberté. Elle éclata de rire.

– Mon Dieu ! s'écria Mme Lepage, que signifie cela ?... Geneviève, savez-vous qui vous a maltraitée ainsi ?

Geneviève se mit à rire de nouveau, de ce rire hébété qui rend effrayante la figure des idiots. Tous les gens la regardaient avec stupeur, et elle fixait sur chacun tour à tour ses yeux égarés.

– Elle est folle ! s'écrie-t-on.

– Marie-Louise ! où est Marie-Louise ? demande Mme Lepage.

À ce nom l'infortunée Geneviève se dresse brusquement, et cherche dans le lit, à la place encore chaude de l'enfant. Elle soulève les couvertures, jette l'oreiller et le traversin à terre, dérange le lit de plume et la paillasse, regarde sous la couchette, et se relève, pâle, lugubre, terrible à voir... Les gens ont peur et se reculent.

– Marie-Louise ! crie la pauvre folle, Marie-Louise !...

Elle cherche de nouveau dans le lit en désordre.

– Vous l'avez cachée, dit-elle, rendez-moi-la ! Sa mère me l'a confiée... Sa mère qui est avec le bon Dieu... Je n'irai jamais avec le bon Dieu, moi, car le maître d'école a souillé mon âme, et rien de souillé n'entre dans le royaume des cieux !... Marie-Louise ! crie-t-elle encore.

Elle sort. On veut lui faire revêtir sa robe.

– Pourquoi ? rien ne peut cacher ma honte... Il n'y a pas de voile assez épais... Rendez-moi la petite, je vous en prie !... J'ai promis à sa mère de la sauver, et de la mettre au pied de la croix sur la côte de sable...

– Pauvre fille ! murmurent les voisins.

Lepage entre :

– Qu'y a-t-il donc, dit-il avec émoi.

Alors Mme Lepage fond en larmes. Les voisins racontent ce qu'ils viennent de voir. Lepage court à la chambre de son hôte, le dernier venu. La chambre est déserte. Il monte au grenier : personne !

– Ils s'étaient entendus pour nous tromper ! C'étaient deux brigands ! deux compères ! s'écrie-t-il en fermant les poings.

Puis il raconte comment il a hébergé les misérables qui lui demandèrent un refuge pour la nuit.

Cependant Geneviève sort, dans son costume léger, appelant toujours l'enfant perdue. Elle s'arrête devant un orme magnifique qui tend ses bras au-dessus du toit.

– L'as-tu vue ? lui dit-elle... la caches-tu dans ton feuillage ? Tu es grand, toi, tu vois de loin ; n'aperçois-tu pas le ravisseur quelque part ?

Elle secoue la tête et s'avance plus loin, parlant toujours, et demandant la petite Marie-Louise à tous les objets que rencontrent ses yeux égarés. Lepage essaie de la faire entrer ; elle se fâche. Pour la rendre docile, il s'avise de lui ordonner de s'habiller promptement, pendant qu'il allait atteler le cheval, afin de courir après le ravisseur et sa victime.

Les brigands, sortis de la maison de Lepage sans faire de bruit et sans éveiller les habitants, se rendirent en courant sur la grève voisine. Le charlatan tenait serrée dans ses bras nerveux la petite Marie-Louise, qui tremblait de peur et de froid dans son primitif vêtement de toile. Elle aussi était bâillonnée. La mer était basse et la chaloupe ne flottait plus au large, mais se confondait avec les roches de la batture. Le charlatan déposa l'enfant à terre près de lui, sur les galets. Elle ressentit aux pieds une douleur aiguë, voulut crier, mais sa voix mourut sous l'étoffe de l'implacable bandeau. Deux des brigands cherchèrent la chaloupe. La nuit était obscure et le rivage, semé d'énormes cailloux. Ils cherchèrent longtemps. Le charlatan tenait les deux mains de la petite pour qu'elle ne put enlever le bâillon qui l'empêchait de crier. On entendait les frissons courir sur ses membres délicats. L'un des deux qui cherchaient l'embarcation dit tout à coup, d'une voix qu'il s'efforçait de voiler :

– Ici ! venez !... elle est échouée.

Ceux qui attendaient au rivage partirent, se dirigeant sur la voix qu'ils venaient d'ouïr. Le charlatan fit marcher l'enfant sur les gravois et dans les flaques d'eau. On entendait les sanglots étouffés de la petite, mais l'on ne pouvait voir, dans l'obscurité, les larmes abondantes qui coulaient de ses yeux.

Tous cinq se trouvèrent réunis auprès de la chaloupe. Ils se serrèrent la main en signe de plaisir et de félicitations.

– Le succès a dépassé mes espérances, dit le maître d'école.

– Comment avez-vous trouvé votre ancienne maîtresse ! demanda le chef.

– Je vous jure qu'elle n'a point son égale à Québec !... je voudrais bien la reconquérir, comme disent les chevaliers.

– M'est avis, dit Charlot, que nous ferions mieux de pousser la chaloupe à l'eau que de perdre notre temps ici ; quand nous serons au large, nous ferons la causerie.

– C'est juste, répondirent les autres : à la chaloupe ! au large !

L'enfant fut embarquée et les cinq brigands, mettant l'embarcation sur sa quille, la poussèrent, en levant, vers les flots qui déferlaient à quelque distance.

– La brise est bonne, dit le chef en mettant les pieds dans l'eau, le montant va prendre, et nous serons à Québec de bonne heure.

– Si nous n'avons pas la chance d'arriver cette nuit, nous resterons au bout de l'île jusqu'à la nuit prochaine, répliqua le charlatan.

Les vagues commencèrent à soulever la chaloupe et les hommes trouvaient qu'elle devenait de moins en moins lourde. Enfin, elle bondit, comme un coursier qui se cambre, et les cinq brigands sautèrent dedans.

– Les rames ! la voile ! commande le chef.

– Les rames ! la voile ! répètent les bandits... où sont elles ?

On regarde sur les bancs, on regarde dans le fond de la chaloupe : point de rames ! point de voile !

– Voilà qui est drôle ! dit le chef étonné.

Les brigands ne riaient plus.

– Vous ne les avez pas fourrées sous les bancs ?

– Oui, répond Charlot.

– Les vagues les auront jetées en dehors, observe le charlatan, on va les trouver ici tout près.

– Je les avais bien attachées, affirme Robert ; c'est un tour que l'on nous a joué...

– Un tour ? tu badines ? nous sommes arrivés de nuit, il faisait noir, et personne ne nous a vus.

Les flots avaient rejeté la chaloupe au rivage et la secouaient rudement de côté et d'autre.

– Débarquez et cherchez ! ordonne le chef.

Les brigands se dispersent, cherchant, inquiets et craintifs, les rames perdues. Le chef reste près de l'enfant captive.

Ils rôdèrent longtemps au bord du fleuve, parmi les roches et les ajoncs, reculant du pied les morceaux de bois inutiles venus avec le rapport. Ils ne trouvèrent ni les rames, ni la voile.

– Si c'était le muet ? repartit tout à coup Charlot.

– Le muet ?

– Oui le muet ; il était, par un singulier hasard, chez Lepage cette nuit.

– Et tu ne nous l'as pas dit ?

– En ai-je eu le temps ? Au reste, pourquoi ? M. Lepage qui le croit évadé de la prison et qui ne sait pas son innocence, l'avait enfermé dans une petite chambre, au grenier.

– Damnation ! crie Robert, tu sais que nous avons juré de le tuer ?

– Et nous le tuerons ! répond, d'un ton imperturbable, le cruel Charlot. Seulement, il faut être prudent, et ne pas danser plus vite que le violon. À chacun son tour, aujourd'hui l'enfant, demain le muet.

– Mais qu'allez-vous faire ? qu'allons-nous devenir ?

– Si c'est un tour du muet, observe le charlatan, il doit avoir caché les rames à terre quelque part dans les aunes. Voyons partout. Si nous ne les trouvons pas nous n'aurons plus qu'à remonter à pied.

Disant cela, le docteur à la barbe rouge s'approche de la talle d'aunes qui paraît comme un bouquet noir sur la rive couverte d'ombre. À peine a-t-il écarté les premières branches, que son pied s'embarrasse dans quelque chose d'humide et de mou comme le linge que la blanchisseuse tire de la cuve. Il se penche, tâte de la main. Un éclair de joie illumine sa face rouge et ses yeux brillent comme des topazes dans l'obscurité.

– Ici ! ici ! je les ai !... dit-il à ses compagnons, je...

Il n'achève pas. Comme le bras d'un géant qui se lève terrible et brise tout ce qu'il rencontre dans sa chute, une rame s'est levée soudain, noire dans la nuit sombre, et s'est abattue sur les reins du malheureux vendeur de sirop. Un cri terrible fit retentir la rive et le fleuve. Les brigands qui accourent s'arrêtent effrayés.

– Qu'y a-t-il ? Les as-tu ? Que fais-tu ?... demandent plusieurs voix.

– Allons voir ! dit l'un des bandits ; nous sommes assez pour nous défendre.

Ils s'approchent du bouquet d'aunes. Charlot marche le premier. Plus ils approchent et plus ils marchent lentement. Ils entendent un bruit léger dans le feuillage et appellent leur compagnon. Une même pensée vient à leur esprit : « Il a été tué... » Alors ils s'arrêtent. Le chef arrive près d'eux.

– Que faites-vous ? quel est ce cri que j'ai entendu ?

– C'est le docteur ! il est mort, croyons-nous. Nous sommes découverts.

Une sueur froide inonde le visage du brigand. Il s'approche de Charlot et lui confie quelque chose. Charlot s'éloigne de suite. Un instant après, le chef crie :

– Sauvons-nous !

L'un des brigands passe trop près des aunes, la rame lui fouette l'épaule ; mais il ne tombe point ; il s'enfuit en criant de rage et de douleur. C'était le maître d'école. Alors une forme puissante et sombre, que les ténèbres faisaient paraître plus grande et plus terrible encore qu'elle n'était réellement, s'élance à la poursuite des bandits.

XVII

Les deux amants de naguère

Geneviève était devenue folle de peur. Son état lamentable arrachait des larmes à tout le monde. Quand elle se fut habillée, elle demanda si la voiture était prête. On lui répondit que M. Lepage était allé mettre le cheval à la calèche, et qu'il serait dans un instant de retour.

– Je vais toujours partir, reprit la pauvre fille, il me rejoindra. S'il est poli, il me fera monter dans sa voiture. Je n'ai pas une minute à perdre : la petite Marie-Louise s'en va toujours. Elle est peut-être bien loin maintenant. Dites donc un chapelet pour elle pendant que je vais la chercher.

On voulut l'empêcher de sortir.

– Je vous en conjure, dit-elle avec des larmes dans la voix, vous qui avez des petits enfants que vous aimez bien, laissez-moi partir ; il faut que je rende Marie-Louise à sa mère qui se désole... Si des voleurs vous enlevaient vos enfants, comme cela, la nuit, ne seriez-vous pas contents qu'une fille perdue, comme moi, vous la rendît avant le coucher du soleil ?... Laissez-moi sortir !...

Elle repoussait les gens qui lui fermaient le passage.

– Je vais me fâcher, reprit-elle, et je vous déchirerai le visage.

Rien d'affreux comme une folle qui devient furieuse. On eut peur et on lui permit de sortir.

M. Lepage la suivit quelque temps et s'efforça de la décider à revenir ; mais elle avait une volonté de fer, une idée fixe : aller à Québec, rue Saint-Joseph, dans l'infâme maison de Mlle Paméla. Le souvenir de ce qu'elle avait vu là s'était tout à coup fixé dans son esprit, comme une image de deuil que l'on fixe au mur. M. Lepage pensa qu'il valait mieux ne pas la contrarier. Il revint chez lui avec l'intention d'envoyer quelqu'un pour la suivre et la surveiller.

Les bandits se sont dispersés. Le muet court au hasard. Seul le bruit des pas le guide. Alerte et vif, il aperçoit bientôt une forme vague qui se sauve. C'est Charlot avec l'enfant. Il le poursuit comme un fantôme poursuit un fantôme. Il distingue de mieux en mieux les contours grossiers de sa noire silhouette ; il va l'atteindre, le toucher, quand son pied nu, s'embarrassant dans un arrachis, se déchire sur un nœud aussi dur qu'une pointe d'acier. Il tombe. Le brigand disparaît de nouveau. Nonobstant la douleur cuisante qu'il ressent au pied, le muet reprend sa course. Le désir de sauver sa sœur lui fait mépriser toute souffrance physique. Mais n'y a-t-il point folie à courir dans les ténèbres après quelqu'un que l'on ne voit pas et que l'on n'entend pas davantage ? Le pauvre garçon est désespéré. S'arrêtant pour écouter, il n'entend que le vagissement des flots au rivage. Il pense que le ravisseur est caché, et, n'obéissant qu'à son amour fraternel, il s'enfonce dans tous les buissons et descend dans tous les ruisseaux.

Quand le jour vint semer ses rayons dans le ciel, sur le fleuve et les montagnes, comme un laboureur matinal sème ses grains dans les sillons, le muet, presque fou de douleur et de regrets, cherchait encore, sur la grève déserte, sa sœur infortunée.

Le chef n'avait pas voulu laisser seule, dans la chaloupe, la petite Marie-Louise, quand il était venu rejoindre ses camarades, près du bouquet d'aunes, après le cri jeté par le charlatan. Il l'avait prise dans ses bras, et remise à Charlot, qui était le plus fort de la bande.

Profitant de la chute du muet, Charlot s'était caché dans un épais fourré. Le muet passa deux fois à côté de lui. Par bonheur, dans sa fuite précipitée, le brigand avait perdu son pistolet. Sans cet accident, le pauvre pèlerin eût été lâchement assassiné dans le taillis, et son corps serait tombé dans le ruisseau discret.

Les ravisseurs, dispersés comme des loups par les chasseurs qui les poursuivent, ne se retrouvèrent ensemble que dans la ville. Ils n'avaient marché que la nuit, se cachant avec précaution durant le jour qui suivit leur malheureuse expédition. Le premier qui revint au logis de Paméla fut le chef. Quelques heures après, le maître d'école entra, suivi de Robert. Racette se plaignait d'une insupportable douleur à l'omoplate. Il avait l'épaule aussi noire que l'âme. La rame avait fait sa marque. Les trois scélérats exprimèrent leur profond regret de la perte du docteur. Ils le croyaient mort. De fait, il l'était à peu près. La rame lui avait brisé l'épine dorsale. Le chef parla longuement des remarquables qualités de son jeune compagnon. Le maître d'école, qui l'avait connu tout enfant, renchérit sur le chef, et Robert, qui le connaissait peu, le vanta bien davantage encore. Si vous voulez que l'on dise du bien de vous, mourez ! Alors vous ne portez plus ombrage aux jaloux.

Les trois brigands s'inquiétaient bien aussi de Charlot et de l'enfant. Cependant le vieux Saint-Pierre ne désespérait pas de le voir arriver sain et sauf. Il connaissait la prudence, la force et l'agilité de son camarade. En effet la nuit suivante, pendant que les survivants délibèrent et se racontent les nouvelles du jour, le redoutable Charlot arrive. Sa figure est riante, son air triomphant. Il tient la petite Marie-Louise par la main. L'enfant a pleuré ; mais elle paraît un peu consolée.

À la vue du voleur et de l'enfant, il y a, dans la maison de Paméla, d'ineffables transports de joie. On serre la main de l'heureux bandit, on embrasse la petite qui sourit avec des larmes ; mais c'est le baiser du judas, le baiser de la trahison. Les questions se succèdent, comme, dans la tempête, les vagues succèdent au vagues. Charlot ne peut parler de grand-chose. Il était resté caché tout le jour, et s'était rendu dans la ville à la faveur de la nuit.

– Après tout, observe le maître d'école, le succès, pour n'être pas aussi complet qu'on l'eût désiré, n'est pas sans valeur.

– Si ce pauvre docteur arrivait maintenant, tout serait bien, ajoute le chef.

– Oui, continue Robert, car la chaloupe ne nous coûte rien, et nous en trouvons toujours quand nous avons besoin.

Mais le docteur n'arriva point.

– Il ne faut pas que le chagrin nous fasse perdre la tête, et nous empêche de prendre un coup à notre heureux retour, repartit le chef.

– Nous prendrons aussi un verre à la santé de l'absent, observa le maître d'école.

Le rhum fut apporté sur le plateau. Les scélérats burent longtemps : gaillards, il furent gais et jaseurs ; gris, il devinrent expansifs, gouailleurs et vantards ; ivres, ils se fâchèrent et voulurent se battre, ils se donnèrent la main et s'embrassèrent, ils s'attendrirent au souvenir du charlatan et se mirent à pleurer, ils s'endormirent et ronflèrent.

Le maître d'école, ivre comme ses compagnons, se lève,

trébuchant ; tire de sa poche un long couteau à ressort dont il ouvre la lame aiguë, et s'approche, menaçant, de la petite Marie-Louise endormie sur une chaise. L'enfant, vaincue par la fatigue, reposait dans un sommeil profond. Mlle Paméla, sortie dès le soir de bonne heure, n'était pas encore rentrée, et personne ne s'était occupé de donner un lit à l'enfant. Le maître d'école se penche sur elle. Il rit d'un rire diabolique. La lame du couteau luit à la lumière de la chandelle. Le chef, Robert et Charlot ronflent toujours en cuvant leur boisson. Avait-il envie de tuer la petite, ou, cédant à un de ces caprices inexplicables qui passent par la tête des gens ivres, voulait-il seulement lui faire peur ? Il recule d'un pas comme pour mieux viser et donner plus de force à son couteau. Il ne rit plus, il a l'air féroce ; mais à son tour l'enfant endormie sourit doucement.

Accablé de fatigue, désespérant de retrouver sa chère petite sœur, le muet était revenu chez M. Lepage. La pauvre Geneviève venait de partir, et les voisins remplissait encore la maison toute bouleversée ; ceux qui le virent arriver s'écrièrent :

– Voilà l'un de ces misérables ! prenons-le ! enchaînons-le !...

Il n'eurent pas de peine à l'arrêter ; l'infortuné jeune homme vint au-devant d'eux. Quelques-uns voulaient l'assommer sur-le-champ.

– Il n'est pas permis de se faire justice soi-même, dit M. Lepage, gardons-le prisonnier en attendant qu'il soit remis à l'autorité.

– Il s'est blessé, reprit quelqu'un, son pied saigne ; voilà pourquoi il n'a pu se sauver comme les autres.

Le muet fit, en souriant avec douceur, un signe qui voulait dire : « Vous vous trompez. »

– Est-ce qu'il ne parle pas ? demanda-t-on.

– Non répondit Lepage ; c'est ce muet qui a été condamné dernièrement à cinq ans de pénitencier.

Un murmure de surprise s'éleva ; plusieurs dirent :

– Ce n'est pas étonnant alors qu'il enlève les enfants... ne le laissons pas échapper.

Pendant que le maître d'école, rendu fou par l'ivresse, élève, pour le plonger dans le cœur de l'innocente enfant, son large couteau, la porte s'est ouverte sans bruit, et une ombre triste et lugubre est entrée. Le maître d'école, tout à son crime, n'a rien entendu. L'ombre silencieuse s'avance vers lui, lève ses bras maigres, tend ses doigts nerveux comme l'écrevisse ses mandibules, et au moment où le couteau s'abat sur l'ange endormi, saisit, comme une tenaille de fer, le cou dégagé de l'assassin. Racette, surpris, laisse tomber l'arme fatale. L'ombre, vive comme l'éclair, la ramasse.

Alors menaçant à son tour le bandit sanguinaire, l'ombre lui crie :

– Monstre ! quel mal t'a fait mon enfant ?... c'est mon enfant ! sa mère me l'a donnée pour que j'en prenne soin sur la terre !... Sauve-toi ! Je t'enfonce ce couteau dans le cœur... et, au lieu de sang, l'iniquité coulera !...

– Geneviève, dit le maître d'école... ne frappe pas ! écoute !... Je ne voulais pas la tuer... c'était pour lui faire peur... rien de plus !

– Va-t'en ! sors ! crie la folle en fureur, ou je te déchire en lambeaux !...

Et elle faisait jouer l'arme menaçante devant la figure livide de l'ivrogne... Il veut éveiller ses camarades : la pointe du couteau lui fend la lèvre. La folle s'irrite de plus en plus, comme un feu que le vent attise. Elle est horrible dans sa fureur. Le maître d'école effrayé se sauve. Elle le poursuit dans la rue, et le couteau tranchant effleure, de temps en temps, le dos du lâche qui se sauve. Tout à coup elle s'arrête. Le maître d'école profite de ce moment de répit pour s'esquiver. La folle revient sur ses pas et s'engage dans la rue Saint-Joseph. La porte de Mlle Paméla est encore ouverte. Elle entre : les brigands enivrés ronflent toujours. Mais l'enfant est disparue.

XVIII

Une mère pardonne toujours

La corvée de *brayage* était finie. La dernière poignée de lin s'était changée en filasse soyeuse, et les derniers claquements des *braies* venaient de se taire dans l'alcôve champêtre. Les jeunes gens oublièrent les fatigues de la journée dans la danse et les jeux. Asselin leur avait promis une veillée : il tint parole. Nérée Hamelin, qui ne jouait pas mal les cotillons et les gigues sur le violon, vint avec ses sœurs et plusieurs autres *jeunesses* du village rejoindre les *brayeurs*. Picounoc parut s'amuser plus que les autres. Son sobriquet fit rire tout le monde, et bien qu'il eût décliné son vrai nom à Noémie Bélanger, après avoir fait la sourde oreille aux questions des autres, on continua, par caprice ou fantaisie, à l'appeler monsieur Picounoc. On le fit chanter pour délivrer un gage. C'était alors, et c'est encore la coutume, à la campagne, de se faire prier longtemps avant de se rendre aux vœux de la compagnie. Picounoc ne voulut pas déroger à cet usage ridicule. Il se fit prier :

– J'ai le rhume, disait-il à l'un ; je ne sais pas chanter, répondait-il à l'autre ; je ne sais pas une chanson... et cent raisons toutes aussi bonnes...

L'on insistait :

– Vous savez bien chanter... Vous savez des chansons... Vous n'avez pas le rhume...

Et que sais-je ?

Ce fut Noémie qui triompha de son obstination. Les jeunes gens virent bien qu'il avait des intentions pour la jolie brune.

– Pour vous faire plaisir, mademoiselle, je vais chanter... dit-il.

Noémie sourit ; ce n'était ni un sourire d'orgueil, ni un sourire de plaisir... Il y avait un peu de moquerie dans ce sourire. Picounoc ne chantait pas si mal que vous le pensez ; mais il chantait du nez. N'eût été sa voix nasillarde, on l'eût admiré. Dans les chantiers il avait de la vogue : c'est que son répertoire était riche de chansonnettes grivoises, et que les voyageurs et les gens de cage prisent fort ce genre de poésie. Il redit, d'un ton plaintif et traînant, une romance qui fut jugée fort belle. Elle était d'une moralité bien douteuse, mais grâce à la naïveté de nos mœurs, on ne comprit que la partie sentimentale. J'ai maintes fois entendu, dans nos réunions honnêtes de la campagne, des chants grivois que tout le monde applaudissait, bien innocemment à coup sûr.

Picounoc eut envie de faire une déclaration d'amour à Noémie. Dans nos veillées, si l'on rencontre une charmante villageoise qui ne semble pas indifférente, on manœuvre de manière à se trouver près d'elle : on dérive, on louvoie, on refoule le courant, on met la voile, on la replie, selon les circonstances et les lieux. On n'a pas soif, et l'on se lève pour aller boire au seau, près de la porte ; les rayons de la lune argentent les vitres de la fenêtre, et l'on va dehors pour s'assurer que le temps est clair et que les étoiles brillent au ciel ; le grand-père arrive de l'écurie où tout est calme, et l'on va voir au chevaux, de crainte qu'il ne se détachent, sortent de leurs *parcs* et se donnent des accolades du bout du pied ; et toujours l'on a le soin de ne pas trouver la chaise que l'on vient de quitter, mais d'en prendre une autre auprès de la personne recherchée. Et alors, en rougissant, on bégaie une excuse, on demande pardon à la jeune fille de ce que l'on ose prendre la place qu'un autre plus à son goût devrait occuper. Et la jeune fille qui se doute bien de quelque chose, ne se défend pas d'un léger mouvement d'orgueil. Elle pardonne de bon cœur... si déjà l'imprudente n'a pas fait quelque douce promesse.

Picounoc devenait amoureux de Noémie. Sans délicatesse, effronté plutôt que timide, nullement habitué à feindre, il ne dissimula point son admiration pour la belle jeune fille, et lui fit, dans les termes les moins équivoques, une brûlante déclaration. Noémie écouta, ne dit rien, et le laissa dans le doute, moins amer encore que le dédain.

La veillée fut joyeuse jusque vers minuit. Alors, on entend au dehors la voix plaintive de Geneviève qui dit :

– Rendez-moi, pour l'amour de Dieu, l'enfant de la défunte Jean Letellier !... Si je ne la retrouve pas, et si je ne la dépose point au pied de la croix, sur le haut de la côte, je serai perdue !... Oui je serai perdue !... Le sable roulant m'entraîne au fond de l'abîme !... Rendez-moi Marie-Louise ! rendez-moi Marie-Louise !...

Elle vient regarder à la fenêtre, et sa figure paraît comme la figure d'une morte qui sort de sa tombe. Les jeunes filles ont peur.

La folle continue :

– Si vous la cachez dans vos chambres noires, ou sous vos lits, ou derrière les portes, le bon Dieu vous punira. Le bon Dieu voit partout, mais moi je ne vois nulle part ! Ah ! je vous en prie, rendez-moi l'enfant pour que mon âme soit sauvée !...

Elle ouvre la porte. Mme Asselin s'avance au devant d'elle.

– Geneviève, entre, tu vas coucher ici. J'ai un bon lit à te donner.

La folle la regarde d'un œil courroucé :

– Menteuse ! laisse-moi !... tu me ferais geler comme tu faisais geler la petite Marie-Louise !... Les lits que tu donnes aux autres sont le plancher nu. Tu me conduirais aux framboises pour m'égarer, comme tu as égaré l'enfant !... C'est toi qui l'as perdue !... malheur ! malheur à toi !...

Et elle disparaît.

Les divertissements furent suspendus. L'apparition lugubre de la folle avait troublé la fête, comme la pierre jetée dans l'arbre où chantent les oiseaux, trouble le concert aérien.

Asselin fumait sa pipe devant le foyer. Il avait appris la libération du muet, mais il ignorait encore l'enlèvement de la petite Marie-Louise. Comme on le sait, il n'avait dit à personne ce qu'il connaissait de l'innocence de son pupille. Cependant sa discrétion n'avait servi de rien ; mille autres bouches avaient parlé ! La vue de Geneviève, devenue folle soudainement, lui causait une étrange inquiétude. Il soupçonnait un crime : on l'a dit. Il avait hâte de voir son beau-frère, et, tout en fumant, il se proposait de partir pour Québec le surlendemain. Sa femme n'était guère moins soucieuse. Les veilleux s'aperçurent de l'anxiété des maîtres de la maison et se disposèrent à partir. Picounoc, acceptant l'hospitalité que lui avait offerte Asselin, ne partit que le lendemain.

L'ex-élève aimait trop Emmélie pour la croire coupable et douter de sa sincérité. Son bonheur s'était un moment assombri, comme un ciel d'azur, quand monte la fumée d'un volcan. Mais le volcan s'était calmé : le tonnerre qui grondait dans ses entrailles avait fait silence.

À l'heure même où Picounoc prenait congé de M. et de Mme Asselin, le lendemain de la corvée, l'ex-élève, s'embarquant dans un léger canot, traversait le fleuve et venait aborder tout vis-à-vis la maison où se cachaient ses amours.

Picounoc passant chez Bélanger vit Noémie dans la fenêtre. Il entra, la jeune fille le reçut poliment, mais avec assez de froideur. Ils causèrent longtemps et le soir arrivait quand il se souvint de sa mère. Il demanda à Noémie la permission de revenir.

– Je ne refuse de voir que les malhonnêtes gens, répondit-elle un peu fièrement.

Il est encore agréable de se promener dans les allées solitaires des jardins, aux beaux jours d'octobre, et de fouler aux pieds les feuilles jaunies que le vent a détachées et qui tapissent le sol. Tout porte à la rêverie : les dernières fleurs qui se penchent, frileuses, en donnant au soleil leur dernier sourire ; les rameaux dénudés qui ressemblent aux cordages des barques sans voiles, les soupirs de la brise fraîche qui semble pleurer en s'envolant, la pâleur du gazon qui se fane comme une vierge délaissée. L'aspect calme et mélancolique des champs inspire de douces et sérieuses réflexions. Les bois qui se dépouillent de leurs écharpes multicolores, et, nus, s'endorment d'un sommeil profond que seul le soleil du printemps pourra dissiper, nous invitent à songer à notre dernier sommeil et à nous dépouiller des liens enchanteurs qui nous captivent encore. Ils nous rappellent que bientôt, endormis dans notre froid tombeau, nous attendrons le soleil éternel qui réchauffera notre poussière, et nous fera renaître pour l'éternel printemps.

Emmélie et l'ex-élève se promenaient vers le soir, dans le jardin nouvellement acquis par l'hôtelière de *la Colombe*. Emmélie était triste. Comme un fer rouge que l'on tourne dans une plaie, une amère pensée la tourmentait toujours. Pauvre enfant ! Elle ne se croyait pas encore à l'abri des outrages des scélérats. Elle ne pouvait se défendre d'une vague terreur. Elle marchait les yeux baissés et regardait les feuilles mortes. Tout à coup elle fut tirée de sa rêverie par un cri parti de la maison. Ce n'était pas un cri de douleur, ni un cri d'anxiété, mais c'était une surprise étrange qui se manifestait. Emmélie et l'ex-élève s'élancèrent vers la porte. Un autre cri plus poignant et plus terrible que le premier fit retentir la maison. Emmélie tomba dans les bras de l'ex-élève :

– C'est lui !... sauvez-moi ! dit-elle.

En entrant elle s'était trouvée face à face avec Picounoc. Sa mère, debout, pâle, tremblante, ne peut revenir de sa surprise à l'aspect d'une pareille audace. Après un moment elle s'écrie :

– Quoi ! vous osez venir ici ?...

Picounoc sourit et ne bouge pas. L'ex-élève, fermant ses poings, s'avance près de lui :

– Lâche ! dit-il, vil insulteur de femmes ! je n'espérais pas te faire payer sitôt ton infamie.

En même temps il veut frapper le cynique garçon, qui n'a pas de peine à parer le coup, car il est grand de six pieds et l'ex-élève est de taille moyenne :

– Tu sais bien, Paul, que je te mettrais en charpie si je voulais ! réplique l'inflexible Picounoc, pendant que l'ex-élève, aveugle de fureur, l'attaque avec la rage et la persistance du taon qui pique les flancs du taureau.

– Lâche ! hurle Paul Hamel, défends-toi donc ! Si je ne suis pas capable de te battre à coups de poings je te battrai à coups de bâton !... J'ai juré que je la vengerais !

– La venger de quoi ?... Ne l'ai-je pas respectée ?...

– Ah ! Dieu la protégeait !...

– Dieu a eu pitié de moi aussi, car ma douleur, mon désespoir seraient irrémédiables !

Emmélie, se séparant de l'ex-élève, a jeté ses bras autour du cou de sa mère, et toutes deux, la mère et la fille, hors d'elles-mêmes, regardent, sans pouvoir parler, sans pouvoir agir, la lutte des jeunes gens.

– Tu es fou, reprend Picounoc, de traiter ainsi ton vieil ami, pour une fredaine qu'il n'a pas commise, après tout.

– Lâche ! reprend l'ex-élève, je l'aime ! comprends-tu ? je l'aime !... elle est ma fiancée !...

– Elle est ma sœur !... répond Picounoc d'une voix émue.

– Tu mens ! dit l'ex-élève.

– Lui ! s'écrient les deux femmes.

Il y eut un instant de silence et d'émoi terribles. Picounoc regarde sa mère et sa sœur, assises toutes deux tremblantes et folles de terreur. Il s'approche d'elles en chancelant comme un homme ivre, et tombe à genoux à leurs pieds.

– Pardon ! s'écrie-t-il, et il éclate en sanglots...

Le silence qui succède a quelque chose d'épouvantable...

– Es-tu vraiment mon fils ? demande la mère, d'un accent plein d'amertume.

– Oui ! répond Picounoc, je suis Pierre-Énoch, parti il y a quinze ans...

Et il dit le nom de son père et le nom de famille de sa mère, et une foule d'incidents de son enfance... La mère pleure, et ses sanglots sont bien amers... Elle ne peut dire qu'un mot :

– Que je suis malheureuse !...

Emmélie, atterrée, sans voix et sans larmes, l'œil égaré, ressemble à une insensée. Elle paraît ne plus se rendre compte de ce qui se passe autour d'elle. L'ex-élève attend, dans la stupéfaction, le dénouement de cette terrible tragédie. À la fin on entend une voix faible et saccadée qui murmure :

– Une mère pardonne toujours...

XIX

Le muet continue son pèlerinage

Le pèlerin eut un instant regret d'être revenu à la maison de ses hôtes, car la colère et les menaces des habitants accourus aux cris de Mᵐᵉ Lepage ne présageaient rien de bon. Il craignit pour sa vie. L'aveugle fureur du peuple est traître. Il faut la redouter. Cependant l'infortuné garçon ne perdit point sa sérénité. Il attendit en invoquant le Seigneur. Et quand la première effervescence se fut un peu calmée, il attira, par des signes, les gens sur le rivage, et les conduisit à la talle d'aunes où il s'était caché pour surprendre les voleurs. En arrivant ils aperçurent un corps meurtri gisant sur la grève.

– C'est le docteur qui vend sur le marché, dirent quelques habitants.

– C'est, en effet, le débitant de sirop de la vie éternelle... reprirent les autres.

– Il est mort !

– Heureusement que j'ai encore deux fioles de son sirop ! dit, les larmes aux yeux, une bonne femme du voisinage.

– Lui ? c'est étonnant ! disait-on d'un côté.

D'autre part on observait :

– On ne connaît pas le monde.

Le muet ramassa l'une des rames et fit le geste de quelqu'un qui frappe un grand coup...

– C'est vous qui l'avez tué ! demande-t-on avec étonnement.

Il fait signe que oui.

– Vous n'êtes donc pas de la bande ?

– Non, répond-il d'un mouvement de tête.

– Il faut toujours bien avoir pitié de ce cadavre, dit Lepage ; les morts sont sacrés.

Et les habitants soulèvent le charlatan pour l'emporter à la maison. Une plainte se fait entendre.

– Il n'est pas mort ! s'écrie-ton.

– Tant mieux ! reprend une femme, il pourra faire son acte de contrition.

Le charlatan fut apporté à la maison et déposé sur un lit...

Au même moment passait, revenant de la ville, le postillon de la côte Beaupré.

– Savez-vous la nouvelle ? demande-t-il à M. Lepage, et il arrête son cheval à la porte de la maison remplie de monde.

– Non ! qu'y a-t-il ?

– Le jeune homme muet qui devait aller au pénitencier pour cinq ans, a été mis en liberté.

– Vraiment ? mais pourquoi ?

– Son innocence a été reconnue. Il est la victime d'une bande de voleurs.

– Le brave habitant ne revenait point de sa surprise. Le postillon raconte ce qu'il connaît de l'enquête nouvelle et comment le peuple a forcé les portes de la prison. À son tour Lepage rapporte les événements de la nuit. Il dit que le muet est soupçonné, et qu'il va être gardé à vue jusqu'à ce qu'il soit livré aux autorités.

– Vous avez affaire à la même bande de scélérats, rien de plus sûr, répond le postillon ; vous pouvez laisser le muet s'en aller en toute libertés. Le charlatan et lui n'appartiennent pas à la même société, puisque l'un a tué l'autre ou à peu près. Au reste il sera toujours facile de l'arrêter, avec une langue on va loin, mais...

Le postillon n'acheva pas sa juste observation, fouetta son cheval et partit.

Les habitants, satisfaits des renseignements et des conseils du postillon, permirent au pèlerin de s'éloigner.

Il partit et se dirigea, bénissant Dieu, vers le sanctuaire de la bonne sainte Anne.

Voyant que le bruit qu'il faisait dans sa chambre au grenier était inutile, et ne servait qu'à mécontenter M. Lepage, le muet avait pris un autre moyen de déranger les projets des voleurs. Au reste il s'était dit :

« Je ne ferai, par ce moyen, que retarder l'exécution de leur infâme dessein, et ils reviendront plus tard. »

Il pensa que s'il pouvait les surprendre, les attaquer et en blesser quelqu'un, la justice, guidée par des indices certains, étendrait son bras sur tous les coupables. Alors il ouvrit la petite fenêtre du grenier. Cette fenêtre donnait sur le jardin. Il n'y avait point de passage de ce côté. Il prit ses draps de toile, les noua l'un à l'autre par les coins, et les attacha à la sablière, au-dessous de la fenêtre. Il se glissa le long de ce cordage nouveau et descendit.

Tout autour les arbres fruitiers mêlaient leurs rameaux touffus. Il se blottit sous les pruniers en attendant l'arrivée des brigands. Il était là depuis une demi-heure quand il entendit le bruit de leurs pas. Ils arrivèrent. Le muet, regardant dans l'obscurité, à travers les perches de la clôture, les vit s'arrêter un instant à la porte. Il les vit repartir bientôt et franchir la clôture du jardin... Il avait peur d'être découvert, et ne bougeait pas. Le calme était profond autour de lui. Les voleurs en apercevant les draps blancs qui flottaient au vent dirent :

– Voilà une drôle de façon de faire sécher le linge !

Ils croyaient que c'étaient des couvertures nouvellement lavées, que la blanchisseuse avait ainsi accrochées pour faire sécher au vent. La porte de la maison s'ouvrit et Charlot vint chercher ses complices qui se tenaient tout prêts, debout au coin de la maison. Ils entrèrent. Alors le muet courut à la chaloupe, enleva rames et voiles, comme il l'avait prémédité, et, debout, au bord de la talle d'aunes, il attendit, une rame à la main. Comme on l'a vu, il n'attendit pas en vain.

M. Lepage avait envoyé quelqu'un pour suivre l'infortunée Geneviève et la ramener dès qu'elle consentirait à revenir. Elle se rendit à Québec, s'arrêtant souvent pour demander la petite Marie-Louise aux habitants étonnés de son étrange folie. Elle erra dans les rues, arrêtant tous les passants et leur demandant à tous l'enfant qu'elle avait perdue. Les gens se détournaient en souriant de pitié. La nuit arriva. Elle est noire dans la plupart des rues de Québec, quand la lune ne prête pas aux habitants sa bienfaisante lumière. Cette nuit-là, la lune ne vagabondait point. Elle s'était couchée de bonne heure. Geneviève ne voulut entrer nulle part. Son gardien la suivait toujours, et toujours la suppliait de revenir chez M. Lepage. La pauvre folle marchait toujours :

– Attends ! attends, disait-elle, je m'en retourne dans une minute : il faut que j'aille voir là, dans cette rue...

Elle entrait dans la rue Saint-Joseph. Elle se rendit à la porte de Mlle Racette, regarda par la fenêtre et vit l'infâme maître d'école menacer, de son couteau, l'innocente enfant endormie sur sa chaise. Elle entra doucement, doucement... et de ses doigts perçants, saisit, comme l'on sait, la gorge du brigand...

Pendant qu'elle poursuit le maître d'école, celui qui est chargé de veiller sur elle reconnaît la petite Marie-Louise, entre, la prend dans ses bras, et s'en retourne triomphant. Il veut retrouver la malheureuse Geneviève : il s'égare. Désespérant de la rejoindre durant la nuit, il reprend le chemin du Château-Richer, emmenant, joyeux, l'enfant mystérieusement sauvée. Il se promettait de revenir dans le cours de la journée prochaine, chercher de force ou de gré la pauvre folle. Le lendemain, Geneviève s'acheminait, désespérée, vers Lotbinière. Et toujours en marchant elle appelait sa jeune amie, et les gens se détournaient pour la voir.

Deux jours plus tard, elle arrivait à la *braierie* du ruisseau de Gagné, où nous l'avons vue faire des menaces à Asselin, où nous l'avons entendue chanter son refrain douloureux.

XX

La miséricorde de Dieu

Le charlatan, étendu sans mouvements sur son lit, éprouve d'atroces souffrances. Mme Lepage, oubliant ses chagrins et le crime du malade, faisant taire le cri vengeur de la nature pour n'écouter que la voix miséricordieuse de la charité, comble de soins empressés l'indigne malfaiteur. Un médecin est appelé. Secouant la tête d'un air désespéré, le disciple d'Esculape, après avoir examiné le patient, déclare la science impuissante. Il se trompe. Mais il n'est ni le premier ni le dernier à qui les faits donnent un formel démenti. Cependant le docteur au sirop de la vie éternelle doit porter, le reste de sa vie, la peine de son crime.

L'enlèvement avait eu lieu pendant la nuit du mercredi, et c'était le vendredi soir, deux jours après, que la folle, guidée par un instinct merveilleux, avait retrouvé l'enfant, pour hélas ! la perdre aussitôt. Le fils d'Anselme Bureau, que M. Lepage avait dépêché pour surveiller Geneviève et la ramener à la maison, revenait tout joyeux, le samedi matin, avec la petite Marie-Louise. À la vue de l'enfant, ce fut, dans l'honnête famille, une explosion de joie et des transports de reconnaissance envers Dieu. Une légère rougeur se peignit sur la face blême du malade. M. Lepage retourna lui-même à Québec pour chercher Geneviève et informer les officiers de la police de ce qui s'était passé chez lui deux jours auparavant. Il ne put retrouver Geneviève. La police promit de s'occuper de l'affaire.

Le pèlerin voit luire de loin, au pied des côtes élevées qui bordent le fleuve, l'humble flèche de la petite église de Sainte-Anne. Ses yeux se reposent avec espérance sur la croix de fer. Une douce émotion agite son âme. En marchant il tient son chapelet : mais sa bouche muette ne peut répéter la prière de son cœur. Il s'excite au regret de ses fautes, et demande miséricorde. À mesure qu'il approche, son trouble augmente. Les gens qui le voient passer disent : « C'est un pèlerin ! c'est un jeune homme qui a fait un vœu », et ils le saluent avec respect. Car les habitants de Sainte-Anne ont beaucoup d'égards pour ceux qui témoignent leur confiance et entretiennent un culte envers leur illustre patronne.

Il arrive. Son estomac vide demande quelques aliments, et ses lèvres altérées se dessèchent. Mais il ne veut ni manger, ni boire avant de s'être prosterné devant le saint des saints, avant de s'être agenouillé, anxieux et tremblant, au pied de l'image de la bonne sainte. En passant dans l'étroite allée, il laisse sur le plancher des taches de sang, car la blessure de son pied s'est rouverte. Il y a beaucoup de monde dans l'église. Elles sont si nombreuses, les âmes souffrantes qui veulent être consolées ! Elles sont si douces, les consolations de la foi ! Ceux qui le voient marquer son passage par une trace de sang, se sentent humiliés devant tant de courage et d'amour, et font monter pour lui d'ardentes prières vers le Seigneur. Il s'agenouille sur le balustre et reste de longues heures, immobile comme la statue de la prière, les yeux attachés sur l'autel du Christ ou sur l'image de sainte Anne. Il se confesse, répondant par des signes aux questions du prêtre.

Le soir venu, quand le bedeau prit les clefs pour fermer l'église, il sortit. Le curé l'attendait à la porte pour l'emmener au presbytère. Il était dans la confusion ; il voulut refuser ; mais le prêtre insista.

Le muet passa dans la méditation de la justice et de la miséricorde du Sauveur une grande partie de la nuit. Le lendemain de bonne heure, il se rendit à l'église. Il pensait dans son humilité :

« S'il plaît à Dieu de ne pas m'exaucer, que son saint nom soit béni ! j'aurai du moins accompli la promesse que j'ai faite à sainte Anne, de venir, à son sanctuaire, la remercier de m'avoir sauvé la vie. »

Il entendit la messe avec une édifiante piété. Il fit la communion. Un émoi mystérieux serrait son cœur. Son âme implorait la sainte dont l'intercession est si puissante auprès de Dieu. Il espérait que sa langue longtemps liée se débarrasserait tout à coup de ses chaînes invisibles, et que le châtiment de Dieu serait suspendu. Son espoir fut vain.

La foule des gens pieux qui était venus à la messe s'écoula sans bruit.

Il resta dans l'humiliation, pleurant, mais soumis à la justice divine. Tout le jour il fut en prière. Le prêtre l'encourageait et priait avec lui. Le lendemain, c'était le samedi, il reçut encore la sainte communion. Sa confiance augmentait et sa foi brillait de plus en plus. Dans toute la paroisse on parlait de ce pèlerin nouveau.

Plusieurs venaient à l'église pour le voir, et dans l'espoir d'être témoins d'un miracle. Parfois cependant un nuage passait sur le front du jeune homme, et le doute amer se glissait dans son esprit inculte. Il n'osait plus espérer.

Le dimanche, les voitures chargées de fidèles arrivèrent de toutes les parties de la paroisse. Dans nos heureuses campagnes, et dans nos villes aussi, la foi ne s'éteint pas au souffle vénéneux du scepticisme, et les églises se remplissent de croyants. Nous ne comprenons pas encore qu'il soit mieux d'aller au cabaret ou à la promenade que de s'agenouiller ensemble, comme des frères, sous le toit béni du temple, pour se recueillir et prier. Les esprits forts qui affectent de rire de tout, parce qu'ils ne comprennent rien, et ne songent point à la mort, sont pour nous de tristes curiosités.

Nous aimons notre religion plus encore que notre patrie, et malheur à ceux qui voudraient nous la ravir.

La cloche sonna gaiement le dernier coup de la messe, et les tintements sacrés de l'airain, s'envolant au-dessus des collines pittoresques des alentours, annoncèrent aux habitants dispersés sur la route que le sacrifice du Calvaire allait commencer. Tous se hâtèrent d'arriver.

Le prêtre, suivi du clerc qui portait le bénitier, fait le tour de l'église en bénissant les fidèles. Il passe près du pèlerin qui s'est mêlé aux hommes dans une allée, en avant, et lui donne l'eau sainte en demandant à Dieu de le regarder d'un œil favorable. Tout le monde sait où se trouve le muet et l'observe avec une curiosité bien excusable. Lui, il demeure, pendant la plus grande partie de la messe, à genoux, les mains jointes, les yeux levés sur l'image de sainte Anne. Il ne paraît point s'apercevoir de l'intérêt qu'il excite autour de lui. Par moment on le croirait dans une extase sublime. De temps en temps il se frappe la poitrine, et des larmes, s'échappant de ses paupières, coulent le long de ses joues. Sa pensée, parfois aussi, monte vers sa mère regrettée. Il lui demande pardon. Il essaie de redire l'*Ave Maria*, qu'il avait promis de réciter tous les jours de sa vie, et qu'en effet, il avait presque fidèlement dit, mais sa langue est toujours enchaînée.

Quand le son argentin de la petite sonnette de cuivre annonce l'*Agnus Dei*, il se sent pris d'un transport inconnu. Un souffle puissant se réveille au fond de son être. Un désir ardent de s'unir à son Dieu le tourmente soudain. Comme un homme endormi dans un rêve pénible fait un suprême effort pour s'éveiller et se soustraire aux angoisses qui l'opprimment, il veut secouer le sommeil de son âme. Il lui semble que son esprit va prendre des ailes et laisser la terre. En s'approchant de la sainte table, il lève, vers l'illustre patronne de l'église, un regard suppliant, doux et plein de larmes. Il croit voir sourire la bonne sainte, et toute sa personne s'agite dans un transport inexprimable. Il croit entendre des chants angéliques au-dessus de sa tête et dans l'abside où flottent des nuages d'encens. Il lui semble que des flots de lumière enveloppent l'autel auguste. Il est plongé dans une adoration profonde. Il est enivré d'une paix ineffable. Ses yeux humides attachés sur l'autel ne voient plus que le Ciel.

Au dernier évangile, quand tout le monde se tient debout, il reste agenouillé, car il n'a plus connaissance de ce qui se passe autour de lui.

La messe est finie. Les cierges ne brûlent plus sur les chandeliers d'argent ciselé. Le prêtre est à genoux sur les degrés de l'autel. Mais la foule ne paraît pas s'être écoulée. Partout, dans les bancs, dans les allées, les fidèles prient avec une extrême ferveur. On dirait que les âmes veulent faire au Seigneur une sainte violence.

Tout à coup, dans le silence profond, l'on entend une voix forte et tremblante murmurer lentement :

– *Ave Maria, gratia plena ; Dominus tecum.*

Et au même instant le pèlerin se dresse, lève les mains au ciel et retombe à genoux en s'écriant :

– Je parle ! je parle ! Mon Dieu ! sainte Anne, soyez bénis !...

Un cri d'admiration spontané, involontaire, fait trembler l'humble voûte de la petite église. Le prêtre ému publie la puissance et la bonté du Seigneur et de la bonne sainte Anne. Un *Te Deum* solennel est chanté. La foi se raffermit dans les cœurs. Et les habitants s'en retournent à leurs maisons en bénissant la miséricorde de Dieu.

Le pèlerin passa le reste de la journée en actions de grâces. Et l'église fut, jusqu'au soir, inondée par la foule qui vint joindre ses hommages à ceux de ce jeune homme vraiment fortuné.

Le lendemain Djos reprit, glorieux, le chemin qu'il avait

parcouru dans l'humiliation quelques jours auparavant. Et il racontait à tous ceux qu'il voyait les hautes faveurs dont il avait été l'objet, et il publiait la puissance de la bonne sainte Anne de Beaupré. Il entra chez M. Lepage en disant :

– Remerciez Dieu avec moi ! je parle ! je suis guéri...

La stupéfaction fut grande dans la maison, et pourtant l'on savait déjà le miracle qui avait eu lieu la veille. Le pèlerin aperçut la petite Marie-Louise... Il s'élança vers elle.

– Retrouvée ! dit-il ! retrouvée !...

Il la couvrit de baisers.

– C'est ma sœur !... ma petite sœur ! orpheline comme moi !... c'est ma petite sœur Marie-Louise !

– Votre sœur ? c'est votre sœur ? disait tout le monde dans l'étonnement.

On comprit alors la façon d'agir singulière et inexplicable du muet à l'égard de l'enfant, dans les rencontres précédentes.

Djos s'approcha du lit où se trouvait cloué le charlatan :

– L'événement n'a pas tourné comme vous l'espériez, lui dit-il. Si vous revenez à la vie, revenez à l'honnêteté...

Le charlatan se détourna la tête sur son oreiller fiévreux, et son regard eut une expression farouche. Le pèlerin raconta comment il avait surpris le projet des brigands et comment il l'avait déjoué. Il révéla tout ce qu'il connaissait de ces misérables. Cédant aux instances de Lepage et de sa femme, il passa quelques jours avec sa sœur dans cette maison hospitalière.

Les habitants vinrent de loin pour le voir et lui entendre raconter sa vie malheureuse et sa miraculeuse guérison.

XXI

Le bonhomme Ferron

Désireux de savoir ce qui se passait à la demeure de M. Lepage, et ce qu'était devenu son fidèle camarade le charlatan, Saint-Pierre se rendit au Château-Richer. Ceux qui le connaissaient ne le reconnurent point. Son crâne dénudé se perdait dans une riche chevelure noire, une longue moustache en brosse tombait comme un voile devant ses lèvres, et des lunettes en verres enfumés dérobaient les reflets fauves de ses yeux. Il s'arrêta à la porte voisine de chez Lepage, demanda de l'eau pour son cheval, et lia conversation, de l'air le plus indifférent du monde, avec le garçon de la ferme. Il apprit, en peu d'instants, plus de nouvelles qu'il n'espérait en recueillir. Le garçon loquace éprouvait un véritable plaisir à raconter les événements qui avaient, depuis quelques jours, tant agité la paroisse. Il n'omit aucun détail. Le vieux Saint-Pierre avait besoin de ses lunettes pour cacher l'étonnement que trahissait son regard. Il mordait sa fausse moustache. Il remercia poliment le garçon bienveillant et babillard, monta dans la calèche, tira sur les guides, fit virer le cheval, et reprit au grand trot le chemin de la ville. Le garçon pensa :

« Voilà un drôle ! Il vient ici pour faire boire un cheval qui n'a pas soif, et s'en retourne sans plus de façon. »

Le vieux Saint-Pierre est songeur :

« L'horizon s'assombrit, pense-t-il : la foudre nous menace. Il n'y a plus à reculer. Le plus tôt sera le mieux. »

Il arrive de bonne heure à Québec, et retrouve ses compagnons réunis chez Mlle Paméla. La réunion est silencieuse. L'inquiétude se lit sur toutes les figures.

– Eh bien ! quelles nouvelles ? demandent à la fois les brigands en voyant entrer leur chef.

– Mauvaises, répond le vieux Saint-Pierre en ôtant ses lunettes, sa perruque et sa moustache.

– Mauvaises ?... Il est mort ?

– Non !... il peut en revenir.

– L'enfant est retrouvée ? demande le maître d'école.

– Oui... mais ce n'est rien, cela.

– Qu'y-a-t-il donc alors ? parlez !

– Nous sommes découverts !

– Découverts ?

– Oui.

– Et par qui ? Le docteur a-t-il parlé ? nous a-t-il trahis ?

– Non !

– Le muet ! je gage que c'est le muet, dit Charlot. Il était chez Lepage cette nuit-là, comme vous le savez.

– C'est lui ! s'écrient les autres.

– Que parlez-vous de muet ? répond le chef, il n'y en a plus de muet !...

Un cri de joie retentit :

– Il est mort ! Vous l'avez tué ?

– Non !...

Il se fait un moment de silence. Le vieux continue d'un air morose et désespéré :

– Le muet a parlé !

– Le muet a parlé ? Que voulez-vous dire ?

– Il a été guéri miraculeusement par sainte Anne, hier, pendant la messe.

– Vous vous moquez de nous ?

– Hélas ! vous verrez.

– Où est-il ?

– Chez Lepage.

– L'avez-vous vu ?

– Non ! je n'ai pas osé entrer dans cette maison. Je me suis arrêté chez le voisin, et là j'ai tout appris.

– Le muet parle ! Le muet parle !... murmurent, dans leur stupeur, les scélérats.

– C'est lui, ajoute le chef, qui s'est embarqué dans un canot pour nous sauver pendant l'orage. Il est venu sur l'îlet où nous étions et il a surpris nos desseins.

Charlot, se levant furieux :

– Si vous m'aviez écouté quand j'ai voulu le tuer, la nuit du vol, à Lotbinière, tout cela ne serait pas arrivé... et nous serions tranquilles, à l'abri des soupçons et des recherches.

– On peut le tuer. Il en est temps encore ! fut-il répondu.

– Il doit aller à Lotbinière cette semaine.

Un éclair illumine soudain la face diabolique du maître d'école.

– Il y a, sur la terre du pupille, une cachette magnifique, et le pupille passera nécessairement auprès, s'écrie-t-il.

– Ensuite ?

– Ensuite ! vous ne devinez pas ?...

Un murmure approbateur s'élève.

– Chef, vous n'êtes pas connu chez nous, continue Racette, vous allez venir avec moi sous prétexte d'acheter une terre.

– Voilà qui est singulier, répond Saint-Pierre, cette même pensée d'aller acheter une terre m'est venue à l'esprit, tout à l'heure en remontant du Château.

– Soyez fermes et sans pitié, cette fois, dit Charlot. Notre vie est au jeu : s'il échappe, nous n'échapperons pas, nous.

Le lendemain, le chef et le maître d'école partirent pour Lotbinière.

Vers la fin de la semaine, le charlatan fut mis sur un lit de plume et transporté dans une voiture aux ressorts pliants, à l'auberge de *l'Oiseau de proie*. Il poussa bien, le long de la route, quelques cris de douleur, malgré toute l'attention dont il fut entouré, malgré l'allure calme et lente du cheval qui le menait.

Lepage avait bien fait sa part de sacrifices et de charité. Le pèlerin lui avait dit que la demeure ordinaire du charlatan était à la taverne de la mère Labourique.

– Que Mme Labourique le soigne à son tour, avait répondu Lepage, en attendant qu'il soit livré à la justice.

Mais la vieille hôtelière éprouva de la répugnance à recevoir le malade. Elle dut le garder, cependant, car on le lui laissa.

Le pèlerin s'était rendu la veille à Québec. Sa première visite avait été pour l'humble église de la Basse-Ville. C'était dans ce sanctuaire vénéré que, six mois auparavant, environ, il avait versé les premières larmes du repentir et ressenti les ineffables délices de l'amour divin. Il revit avec bonheur le bon prêtre qui avait donné à la petite Marie-Louise et à Geneviève un refuge qu'un dessein de Dieu devait seul faire découvrir à leurs persécuteurs. La nouvelle de sa guérison merveilleuse fit grand bruit, et les âmes dévotes se portèrent en foule aux églises pour en remercier le Seigneur.

Lorsque la voiture qui portait le docteur au sirop passa dans la rue Notre-Dame, le pèlerin revenait de la Place. Il était allé demander si quelque bateau partait pour Lotbinière. Un peu par curiosité, et pour voir comment la mère Labourique allait recevoir son ami le charlatan, il revint sur ses pas et prit la rue Champlain. Plusieurs habitants qui se rendaient sur le marché, rebroussèrent aussi chemin, après avoir appris l'aventure du blessé, puis, faisant cortège à la voiture, se rendirent à *l'Oiseau de proie*. Parmi eux se trouvaient un vieillard. Et ce vieillard disait d'une voix chevrotante :

– Il y a dix ans que je ne suis pas venu à la ville ; je m'*adonne* bien pour apprendre des nouvelles.

– Oui, père Ferron, répondit un voisin, c'est quelque chose de curieux à voir que ce malfaiteur pris au piège... Puis la nouvelle de la guérison du muet... Puis la découverte de cette bande de voleurs !...

– Et ce ne sera peut-être pas tout... Bien des choses vont être dévoilées à présent.

Djos et les habitants entrèrent dans l'auberge.

L'un d'eux apercevant le pèlerin, s'écrie :

– Mais c'est lui !

Et il s'approche du jeune homme pour lui donner la main, disant :

– C'est vous qui étiez, muet ?... qui avez demeuré, cet été, chez Asselin ? Est-ce vrai que vous parlez maintenant ? que la bonne sainte Anne vous a guéri ?...

– Oui, monsieur Blanchet, c'est vrai : vous le voyez.

– C'est bien extraordinaire !

– Le châtiment que Dieu m'avait infligé n'était pas moins étonnant. Le Seigneur est grand dans sa miséricorde comme il est grand dans sa justice.

– On dit ; reprit l'habitant curieux, que vous êtes le fils de ce pauvre défunt Jean Letellier ?

– On dit vrai, je le suis.

Les autres personnes, curieuses, entourèrent le pèlerin.

– Quoi ! dit le vieillard qui n'était pas venu à la ville depuis dix ans, tu es le garçon de Jean Tellier, toi ?... je t'ai vu bien petit, tout petit... et comme te voilà grand et gros maintenant !... Tu ne me reconnais pas, moi ; j'ai vieilli, j'ai changé, le chagrin, les soucis...

Le pèlerin regardait attentivement le vieillard :

– Je crois vous reconnaître, dit-il, je me rappelle de vous. Vous êtes le père Ferron ?

– Eh oui !... eh oui ! Tu as bonne mémoire, reprend le vieillard.

– Je me souviens que nous allions, tout petits, vous voir ferrer les chevaux dans votre boutique. Vous êtes forgeron ?

– Je l'étais : maintenant je ne vaux plus rien, et je suis à charge aux autres : c'est mon garçon Jacques qui forge ; c'est à peine si je peux faire un clou.

– Et votre garçon Clodomir, qu'est-il devenu ?

– Clodomir ? oh ! il m'a causé bien de la peine celui-là.

– À moi aussi, quand nous allions à l'école ensemble.

– Il est parti de la maison depuis longtemps, continue le vieillard, et il ne m'a jamais envoyé de ses nouvelles. Il n'a pas de cœur.

– Vous ne savez pas où il est ?

– Non... non, je ne le sais point...

– Il est ici ! murmure une voix basse et souffrante.

Tout le monde se détourne cherchant qui parle de même.

– Il est ici ! répète la voix mourante.

– Lui ! s'écrient à la fois tous les gens.

Le charlatan répète pour la troisième fois :

– Il est ici ! c'est moi...

– Mon Dieu ! serait-il possible ? dit le vieillard en joignant les mains.

Et s'approchant du malade, il le considère longtemps avec attention. Goutte à goutte des larmes tombent de ses yeux. On l'entend murmurer, comme se parlant à lui-même :

– Oui c'est lui !... c'est bien lui !... je le reconnais... j'ai vécu un jour de trop !...

Le charlatan regarde pleurer son père et demeure impassible. On dirait par moment qu'il jouit de la douleur du vieillard infortuné. Le pèlerin se tient aussi lui tout près du malade, et le regarde avec fixité, cherchant à se rappeler les traits du jeune gamin qui l'a maltraité souvent dans son enfance. Le charlatan le repousse de sa main faible et débile.

Le père Ferron regretta bien d'être venu à Québec :

– Je n'aurais peut-être jamais connu toute l'étendue de ma honte et de ma douleur, disait-il à ceux qui tâchaient de le consoler.

Après quelques jours passés à l'auberge de la mère Labourique, le malade fut transporté à l'hôpital, et la police attentive surveilla à son rétablissement.

XXII

La tombe du ruisseau

Le maître d'école et le chef des voleurs se rendirent à Lotbinière. Tout entier à l'allégresse dont son âme était remplie, le pauvre pèlerin ne pensait point que la haine implacable des voleurs lui préparait une mort prompte et cruelle ! Il renaissait à la vie, en retrouvant la paix de la conscience et les attachements du cœur, et les brigands s'apprêtaient à faire surgir devant ses yeux le spectre de la mort. Qui pourra jamais deviner les secrets du lendemain ? Et qui nous assure que nous qui sommes allègres aujourd'hui, comme l'insecte qui chante sur un brin de verdure, nous ne serons pas, demain, couchés sous un linceul ? En nous promenant dans la prairie, au jour de la moisson, nous écrasons sous notre pied distrait l'insecte heureux qui vit d'amour et de soleil ; ainsi, pendant que nous nous berçons de rêves suaves et de voluptueuses espérances, le pied vagabond de la fatalité se lève en silence pour nous broyer. La mort d'un insecte ne saurait interrompre le concert de la prairie : notre mort ne peut, non plus, interrompre le concert du monde.

Eusèbe n'a pas encore appris la guérison du muet. Il repose dans un sommeil calme, quand son beau frère et le vieux Saint-Pierre arrivent à sa demeure. Ils frappent. Mme Asselin s'éveille la première. Elle secoue un peu vivement son mari, en disant :

– Eusèbe, on *cogne* à la porte.

Eusèbe sort du lit en se dessillant les yeux d'une main engourdie. Il ouvre, et ne reconnaît pas de suite les deux brigands.

– Diable ! dit le maître d'école, dors-tu encore ? Tu ne nous reconnais point.

– Tiens ! c'est Racette, je compte ?

– Eh oui ! comment ça va-t-il ici ?

– Assez bien. Et chez vous ?

– Assez mal.

– Comment ? Paméla est-elle malade ?

– Non ! je te dirai cela dans un instant.

– Attendez ! je vais allumer la chandelle : asseyez-vous !

Quand la lumière se répandit dans l'appartement, Asselin salua le compagnon de son beau-frère et lui donna la main. Le vieillard s'était déguisé.

– C'est un bourgeois de Québec qui vient dans le dessein d'acheter une terre ici, dit le maître d'école en présentant son camarade.

– Je vais faire lever Caroline, reprit Eusèbe, vous avez besoin de manger et de dormir, je suppose.

– Ma foi ! oui, répondit le chef au nom des deux.

Caroline se leva. Pendant qu'elle servait la table, le maître d'école raconta sa descente au Château-Richer, l'orage, l'enlèvement de l'enfant, l'intervention du muet, puis le miracle étonnant arrivé à Sainte-Anne en faveur de ce garçon. Asselin ne pouvait revenir de son étonnement à la nouvelle de la guérison du muet. Sa femme avait oublié la table, et, debout devant les deux nouveaux venus, les poings sur les hanches, elle recueillait avec avidité toutes leurs paroles, et ses yeux lançaient parfois des étincelles de fureur, et sa figure prenait toutes les expressions, depuis la crainte jusqu'à la férocité. Et quand le chef dit que le pèlerin affirmait se nommer Joseph Letellier, et s'apprêtait à venir à Lotbinière se faire reconnaître par ses tuteurs et ses parents, la femme méchante frappa du pied avec fureur, en s'écriant :

– Vous n'êtes pas des hommes, vous autres ! Ah ! si vous aviez seulement la moitié de mon courage !...

Le chef sourit. Il comprenait qu'il avait une fameuse auxiliaire en cette étrange créature. Il répondit avec une indifférence affectée :

– Nous arrangerons cela ensemble, madame.

Asselin penchait la tête et ne disait rien. Et personne ne pouvait deviner ce qui se passait dans son esprit. Le maître d'école crut que c'était le moment de relever ou soutenir l'énergie et la détermination de ses parents ; il leur apprit qu'à force de recherches, tours et ruses, il était parvenu à retrouver une bonne partie de leur argent. Ce fut, de la part de la femme avare, un crie de joie à faire trembler la maison. Son mari, bien content aussi, fut moins bruyant et plus réservé. L'argent rendu fut compté. Mᵐᵉ Eusèbe tournait et retournait, près de la chandelle, les piastres de France et d'Espagne, qui n'avaient pas perdu leur antique éclat. Ses yeux s'ouvraient grands pour les admirer, et, pour les retenir, ses mains se fermaient comme des serres.

La maison d'Asselin retomba de nouveau dans le calme ; tout le monde, s'était mis au lit. Personne, cependant, ne dormait. Il avait été décidé que l'on accueillerait l'orphelin avec une joie feinte.

Le lendemain, le maître d'école lui-même annonça, dans le village, l'heureuse nouvelle du miracle de sainte Anne, et l'arrivée prochaine du pèlerin. Il avoua s'être défié de ce garçon qu'il ne pouvait reconnaître, et, pour prévenir l'opinion publique, il dit qu'il avait voulu rendre la petite Marie-Louise à ses tuteurs et à sa famille, en allant au Château-Richer la ravir à ses parents adoptifs ; que la rumeur avait fait, de ce tour innocent et permis, une action infâme, un forfait épouvantable. Il ajoutait :

– Vous jugerez par vous-mêmes : l'enfant reviendra et vous verrez si elle ne m'aime pas encore, et si elle a quelque raison de se plaindre de moi.

On trouva toute naturelle la tentative de l'enlèvement ; et la conduite du maître d'école parut justifiable. Comment se défier d'un homme qui se cache sous le masque de l'honnêteté ? L'hypocrisie fait plus de dupes que tous les autres vices ensemble.

Racette s'enquit des terres à vendre, et dit qu'un bourgeois de la ville, désireux de se retirer à la campagne, était venu avec lui, dans l'intention d'acheter une propriété dans le voisinage de l'église. On lui dit qu'une veuve en avait acheté une dernièrement et qu'elle la revendrait peut-être.

Saint-Pierre ne sortit guère le lendemain de son arrivée à Lotbinière. Pendant qu'Asselin vaquait à ses travaux du dehors, il s'entendit avec Mme Asselin au sujet du pupille. Il ne lui dit pas, le vieux rusé, comme il craignait les révélations du jeune homme, et voulait le mettre dans l'impossibilité de rien prouver ; mais il lui jura qu'il ne ferait que par galanterie et dévouement pour elle ce qu'elle désirait. Mme Eusèbe fut doublement heureuse.

Il y avait sur la terre du pupille, à une vingtaine d'arpents du chemin de front, sur le bord sablonneux d'un ruisseau, une vieille cave à patates. Dès que le pupille serait arrivé dans la paroisse, Saint-Pierre devait disparaître. Racette lui-même le conduirait vers le soir, avec la voiture de son beau-frère, à une certaine distance. Ils reviendraient tous deux pendant la nuit. Le vieillard se rendrait alors dans la cave sur le bord du ruisseau, et là, armé d'un bon fusil, le fusil d'Asselin, muni de liqueurs et de provisions de bouche, il attendrait qu'un hasard heureux fit passer à sa portée le dangereux pèlerin. Mme Eusèbe s'obligeait à aider le hasard, afin que le bandit ne languît pas trop longtemps dans sa noire et triste cachette.

Le soir arrivé, le chef des voleurs et son adepte nouveau, chacun portant une bêche sur son épaule, sortirent furtivement de la maison d'Asselin et prirent à travers les champs. L'obscurité était épaisse. Mais, bientôt, la lune parut grande et sereine au-dessus des bois, et sa lueur était pareille à l'éclat d'un incendie lointain. Elle monta lentement dans le ciel, et les étoiles jalouses se cachèrent sur son passage. Les deux brigands arrivèrent au ruisseau. Sur le bord de la côte, la cave s'élevait noire au milieu du sable faune. L'eau dormait dans les échancrures nombreuses. De place en place, un arbre tombé en travers, des branches, des souches entassées formaient de petites digues qui retenaient l'onde fraîche, ou des ponts capricieux que défaisaient, pour les refaire plus loin, les orages de l'automne. En avant de ces barrages, le ruisseau paraissait desséché. Du côté sud la berge accore était ombragée de beaux érables. C'était la sucrerie. La lune éparpilla dans les flaques d'eau paisibles ses paillettes étincelantes. Les brigands descendirent dans le ruisseau. Courbés sur leurs bêches il se mirent à creuser en silence. Les pelles rejetaient le sable par un mouvement sinistre et régulier. Le trou béant prit l'aspect d'une fosse.

– Est-elle assez profonde ? demande le maître d'école.

– Creusons encore ; il vaut mieux creuser trop que pas assez.

Et les deux bandits se remirent à l'œuvre avec une ardeur nouvelle, et la sueur inondait leurs fronts.

– Il sera facile, dit, sans interrompre son travail, le vieux Saint-Pierre, il sera facile de faire passer ici l'eau du ruisseau.

– Nous entasserons les arrachis de l'autre côté, répondit le maître d'école.

Alors un léger craquement de branches se fait entendre dans l'érablière. Les deux vauriens lèvent les yeux. À travers la sombre colonnade formée par les troncs des érables, ils voient passer une forme légère, blanche et fantastique. Surpris, ils se taisent et se blottissent contre le barrage de souches et de branches. L'apparition s'approche toujours, paraissant et disparaissant tour à tour, comme une voile blanche qui glisse derrière un rideau de peupliers. Ses bras, pour écarter les broussailles, s'étendaient comme les bras des nageurs. Elle s'arrête vis-à-vis la fosse mystérieuse et se penche sur la berge.

Les brigands sont inquiets et contrariés. Tout à coup le blanc fantôme écarte ses mains pâles et s'écrie :

– L'avez-vous tuée ?... Creusez-vous sa tombe ?... Ah ! rendez-moi son cadavre que je le couvre de baisers et de pleurs !... Pourquoi l'enterrez-vous ici ? Cette terre n'est pas bénite, et personne ne viendra prier ici pour l'enfant martyre !... Ici l'on enterre les chiens et les maudits !

Le vieux Saint-Pierre eût voulu ne pas ouïr cette parole qui le glaça, malgré lui, d'une crainte vague et superstitieuse. Le fantôme continue :

– J'ai promis à sa mère de la sauver ! J'étais perdu alors... je tombais ! je tombais ! je tombais !... Sa mère m'a dit de la porter au pied de la croix, sur le sommet de la côte de sable... Où est la croix ? je ne la vois plus !... Je vois le monstre au fond de l'abîme !... Il est là !... il m'appelle !... Ses promesses sont menteuses, son amour est mortel !... Le sable roule sous mes pieds ! Saints de Dieu, sauvez-moi !

Il se retire d'un pas en arrière :

– Racette ! Racette ! reste seul au fond du gouffre !... Ne garde pas la petite Marie-Louise dans ce sépulcre humide !... rends-la moi !... rends-la moi ! ou je t'arrache les yeux avec mes ongles durs !

Il regarde la lune :

– Éteins ta lumière !... n'éclaire plus le travail des ouvriers de l'enfer ! Le bon Dieu ne t'a pas allumée au ciel pour que tu prêtes ta lumière aux démons...

– C'est Geneviève, dit tout bas le maître d'école à son complice.

– Cette maudite folle peut nous trahir, répond le chef.

Ils restent un moment silencieux. La folle parle et gesticule toujours, tantôt suppliant, tantôt menaçant, un instant plaintive et l'instant d'après en courroux.

– Tuons-la ! dit Saint-Pierre.

Le maître d'école ne répond rien.

– Nous en serons quittes pour creuser une autre fosse, reprend le chef, ou pour faire celle-ci plus creuse.

Les deux monstres se dressent armés de leurs pelles de fer. La folle se tait, se rapproche de l'escarpement et, s'inclinant de nouveau, elle les regarde fixement comme pour les reconnaître.

– Viens, Geneviève, dit Racette, la petite Marie-Louise est ici ; je vais te la confier... tu l'emmèneras avec toi.

La folle ne bouge pas. Elle est immobile comme une statue.

– Attends-nous, ajoute Saint-Pierre, nous allons te la porter.

Et ils s'avancent vers la malheureuse fille qui les regarde toujours, dans sa fantastique posture.

XXIII

Père et fils, mari et femme

La lune faisait pleuvoir sur les bois et le ruisseau de magiques rayons. Tous les objets changeaient de forme à mesure que l'astre voyageur, en s'en allant, déplaçait les ombres ; et les cailloux, les rameaux, les troncs, les touffes de gazon paraissaient enluminés maintenant, qui tout à l'heure n'offraient que des contours vagues et noirs. Les deux bandits achevèrent leur œuvre infernale. Ils apportèrent des roches, des souches, des débris de toutes sortes, pour dissimuler la fosse. Et quand à leurs yeux pervers tout fut bien, il reprirent le chemin de la maison. Lorsqu'ils entrèrent, trois heures du matin sonnaient à la grande horloge surmontée de trois pommes de bois dorées. Mme Asselin, prévenue, avait levé le loquet de dessus la clenche, afin qu'ils pussent entrer sans faire de bruit. Son mari n'était pas dans le complot, et la prudence voulait qu'on ne fît rien pour éveiller ses soupçons.

Le lendemain, dans la relevée, Saint-Pierre, toujours mis en bourgeois, la tête couverte de sa perruque noire, et la bouche surmontée d'une longue moustache, sortit sous prétexte d'aller voir quelques fermes ou quelques emplacements dont on lui avait parlé. Il se dirigea vers l'église. C'était ce jour-là même, et vers le même moment, que l'ex-élève et la jeune Emmélie se promenaient en rêvant d'amour, dans les allées du petit jardin nouvellement acquis par la maîtresse de *la Colombe victorieuse*. C'était au moment où le cynique Picounoc venait de retrouver sa mère et sa sœur, en ravivant, dans leurs âmes pures, des souffrances insupportables. Le vieux fripon cheminait d'un pas rêveur. Il regardait, de côtés et d'autres, les champs jaunis qui se déroulaient bordés au loin par la forêt, comme par un ceinturon de deuil. Les chemins des charroyeurs et les routes publiques perçaient des trouées claires dans la bordure sombre. Saint-Pierre s'arrêta pour causer avec les habitants qui le saluaient en ôtant leur chapeau. Les habitants étaient heureux de lui donner les renseignements qu'il sollicitait. Il arriva près d'une maison plus petite et plus coquette que ses voisines. La propreté reluisait aux alentours. Le jardin révélait des mains soigneuses. Le devant de la porte était balayé ; les vitres des fenêtres brillaient sous les petits rideaux blancs plissés par des galons. Dans un châssis s'étalaient des pipes de plâtre arrangées en étoiles, des chevaux en pâte sucrée, des pelotes de fil, des rangées d'épingles, des cartes garnies de boutons, et mille petits objets à bon marché.

« C'est peut-être la maison achetée dernièrement par la veuve, pensa le vieux brigand ; on m'a dit qu'elle faisait, cette veuve, un petit négoce, et que je verrais divers articles dans sa fenêtre. Je vais entrer lui demander si cette maison est à vendre. Il ne faut rien négliger. Un détail qui semble insignifiant peut sauver ou perdre un homme. »

Et tout en pensant ainsi il frappa à la porte.

L'arrivée de Saint-Pierre mit fin à une situation amère et critique. Picounoc tendait la main à l'ex-élève, et celui-ci ne savait s'il devait cracher à la figure du misérable ou lui pardonner, à l'exemple de la mère infortunée. Il regardait Emmélie, qui pleurait le visage caché dans le sein de sa mère, et il semblait attendre son ordre. À l'arrivée de l'étranger la jeune fille sortit.

Le chef des voleurs salue. Mais il n'a pas fini son humble salutation qu'il recule de surprise. Il pâlit affreusement et reste silencieux, oubliant ce qu'il a songé à dire. La maîtresse de la maison lui présente une chaise, l'invitant à s'asseoir.

– Merci, dit-il d'une voix mal assurée, je voudrais acheter une pipe.

La femme tressaille au son de cette voix, et une rougeur subite couvre ses joues. Picounoc, curieux, s'approche de l'étranger. Des pipes sont étalées sur le comptoir. L'étranger en prend une au hasard, et la met dans la poche de sa veste.

– Voulez-vous du tabac ? demande Picounoc.

– Merci ! répond laconiquement le vieux bandit qui regagne la porte.

– Picounoc reprend : Venez-vous de loin ? Êtes-vous de la paroisse ?

– Non ! est la seule réponse qu'il reçoit.

La femme trouve singulière cette réserve de l'étranger. Saint-Pierre sort ; Picounoc le suit. Quand ils sont tous deux dehors, ils se regardent.

– Venez-vous de *l'Oiseau de proie* ? demande Picounoc en riant.

– Que fais-tu ici, toi ? Es-tu venu renouveler tes exploits ? Je devine ton jeu, mon farceur !

Le regard de Picounoc s'assombrit, ses lèvres se serrent :

– Vieille canaille ! vous ne savez pas le mal que vous m'avez fait faire ?

– Il paraît que le ferme propos n'a pas duré, puisque tu reviens te jeter dans les bras de la blonde Emmélie, repart, d'un air goguenard, le brigand.

– La blonde Emmélie !... la blonde Emmélie ! vieux maudit, c'est ma sœur !... hurle Picounoc devenu furieux.

– Ta sœur ? c'est ta sœur ? balbutie le monstre ; tu plaisantes ! tu dis cela pour rire... tu te moques de moi !

– C'est ma sœur, vous dis-je, c'est ma sœur !... et la femme honnête que vous vouliez outrager... c'est ma mère !...

Et le garçon violent porte son poing fermé sous le nez du vieillard.

– Ta mère ?... ta sœur ? Est-ce que je le savais moi ?... Pourquoi ne me l'as-tu pas dit ?

– Je ne le savais pas moi non plus !... ce n'est que l'autre jour, à Rimouski, que j'ai eu un soupçon de la vérité !... ce n'est qu'aujourd'hui, ce n'est que tout à l'heure, que j'ai pu m'en convaincre !...

Emmélie était revenue près de sa mère. Toutes deux regardaient par la fenêtre ce qui se passait à la porte. Elles entendaient quelques mots, et ce qu'elles entendaient leur faisait deviner ce qu'elles ne pouvaient entendre ; mais toutes deux pensaient :

« Ce n'est point lui, pourtant ! Le misérable ne ressemblait pas à cet homme et paraissait plus vieux !... »

L'ex-élève, par un sentiment de délicatesse, se tenait à l'écart.

– À Rimouski ? s'écrie Saint-Pierre, mais qui es-tu donc, toi ?... je ne te connais point !... Il est vrai que je suis parti de Rimouski depuis bien des années.

– Qu'est-ce que cela vous fait, que je sois le fils de Pierre ou de Jacques ?

– Ton père est-il mort ?

– Le diable doit l'avoir emporté depuis longtemps, ou il n'a pas de cœur... C'est de sa faute si je suis devenu un misérable et si ma mère est aujourd'hui dans l'infortune... Il nous a abandonnés depuis longtemps !... Ce n'est pas étonnant, car il avait débauché ma mère, et tous deux s'étaient mariés devant un ministre protestant...

Le vieillard pâlit sous son masque. Il recule d'un pas et reste un moment silencieux. Puis se rapprochant :

– Que dis-tu, Picounoc, ton père est de Rimouski ?... Il s'est fait marier par un ministre protestant ?... aux États-Unis ?... c'est aux États-Unis ?...

– Oui.

– Et ta mère se nomme Félonise Morin ?

– Oui.

– Ah !... mais non, ce n'est pas possible ! ce n'est pas possible !

– Avez-vous connu mon père ?

– Ton père !... ton père, c'est un maudit !

– Pas plus que vous, toujours !... Décampez !

Et Picounoc met la main sur la poignée de la porte pour ouvrir et entrer.

– Arrête ! crie le brigand.

Picounoc le regarde.

– Arrête ! arrête ! te dis-je.

– Allez-vous-en !

– Picounoc, je suis ton père !...

– Tu mens, vieux fripon !

– Picounoc, je suis ton père !

– Si tu es mon père, hurle le garçon que la fureur et l'effroi rendent fou, ôte donc cela pour que je te voie comme il faut !

Et d'un bond il s'élance sur l'insolent vieillard, et lui arrache moustache et perruque.

Un cri part de l'intérieur de la maison. Les deux femmes viennent de reconnaître l'impur vaurien de la rue Champlain. Le vieillard, honteux et pâle de colère, ramasse et fait disparaître, au fond de la poche de son habit, cheveux faux et fausse barbe.

– Ça ne tenait pas beaucoup, dit-il rugissant, et un enfant pouvait faire ce que tu as fait, grand lâche ! Maintenant approche ! et j'en jure Dieu, je ne te laisserai pas un cheveu sur la tête !

Il est affreux à voir ce vieux brigand enragé. Il se développe comme le chat qui se fâche : ses muscles se gonflent sur le cou, sur les bras, sur les jambes, comme des éponges dans l'eau, et s'enlacent comme des couleuvres. Picounoc a peur et recule.

– Tu recules ! peureux !... tu te sauves !... grince le vieillard, mais tu ne m'échapperas pas !... Si tu te caches ici, je te retrouverai ailleurs !...

Picounoc ouvre la porte et se réfugie dans la maison... Quand le brigand le voit à l'abri de ses injures et de ses coups, il lui crie, l'écume à la bouche et le poing fermé :

– Lâche ! canaille, je te maudis !... j'ai le droit de te maudire puisque je suis ton père !...

Picounoc épouvanté s'arrête dans la porte entrouverte :

– Tu mens ! dit-il encore au vieillard.

Le brigand s'avance, monte sur le seuil, et mettant la tête dans la maison, dit lentement :

– Je suis Pierre-Énoch Saint-Pierre, de Rimouski, le mari de Félonise Morin et le père de deux enfants jumeaux à qui j'ai transmis la malédiction paternelle !...

La foudre tombant avec fracas au milieu de la salle paisible eût causé moins de frayeur et d'étonnement que cette terrible révélation. Le brigand attend debout dans la porte le résultat de son audacieuse parole. Audacieuse en effet est cette parole, car le vieillard n'a qu'un soupçon de la vérité. Mais il est convaincu d'avoir deviné juste, quand il voit la femme s'affaisser, pâle et tremblante, en s'écriant :

– Mon Dieu ! Mon Dieu ! c'est mon mari !...

Emmélie, étourdie comme par une détonation formidable, est agenouillée près de sa mère et la regarde fixement, d'un air en peine, sans rien dire, sans rien faire. Picounoc aussi lui paraît frappé de vertige. Il se retire devant le vieillard comme pour se soustraire à son regard de flamme. Saint-Pierre entre :

– Je suis donc chez moi, dit-il d'un air impassible.

Il s'approche de sa femme et la relève :

– Félonise ! Félonise ! dit-il, allons ! réveille-toi... Il ne faut pas m'en vouloir... Je vais rester avec toi... Je serai un brave mari... Il y a une fin à tout. Jeunesse se passe...

L'ex-élève apporte de l'eau froide et mouille le front et les joues de la femme évanouie. Elle ouvre les yeux :

– Tu ne me reconnais plus, reprend le brigand. Il y a vingt-six ans que tu ne m'as pas vu !... c'est-à-dire...

L'ex-élève qui s'indigne d'un pareil cynisme, repousse le vieillard :

– Laissez-la donc ! retirez-vous un peu, vous reviendrez une autre fois.

– Mêle-toi donc de tes affaires, toi, réplique le brigand. Je suis chez moi ; j'y reste.

– Vous n'êtes pas chez vous et vous ne resterez pas ici.

– Je te flanque à la porte.

– Je vous fais mettre en prison !

– Toi ?

– Oui !

– Toi ?

– Oui, moi ! moi ! entendez-vous ? Je connais votre histoire !...

Le brigand perd de sa témérité devant la fermeté du jeune homme. Il veut attirer Emmélie à lui. Elle se sauve en disant :

– Vous avez fait trop de mal à ma mère !

Mᵐᵉ Saint-Pierre sort de son évanouissement. Une amère angoisse est peinte dans son regard. Elle ne sait que dire, elle ne sait que faire. Quelle horrible position que la sienne ! Elle a aimé son mari ; elle a pleuré sur son infidélité ; mais un cœur naturellement bon et sensible est toujours enclin à la miséricorde. Elle n'a pas vu vieillir son époux à ses côtés, et son souvenir le lui montre toujours jeune et beau comme au temps jadis, alors qu'oubliant tout elle s'est donnée à lui. L'ex-élève, comprenant dans quelle situation la présence inutile de cet homme jette Emmélie et sa mère, prend une détermination ferme :

– Sortez ! dit-il au vieux chef des voleurs et ne reparaissez plus dans cette maison sans y être mandé, ou bien je vais, sans retard, vous dénoncer.

Le chef lance un regard brûlant au jeune homme. Il comprend qu'il ne peut ni affronter le danger, ni attendre les dénonciations. Il faut user de ruses, et se débarrasser de ses ennemis dangereux. Il dépose sur les lèvres de sa femme un baiser qui n'est nullement le chaste baiser de l'hymen ; il fait un geste de menace à l'ex-élève et s'éloigne.

À quelque distance de la maison, s'arrêtant dans une baisseur discrète, il rajusta sa moustache en brosse et sa chevelure noire.

Picounoc et l'ex-élève portèrent sur un lit Mme Saint-Pierre, qui ne sortait de sa torpeur que pour s'évanouir de nouveau. Elle fut longtemps triste et malade.

XXIV

Le pèlerin à Lotbinière

Le chef des voleurs s'en retournait pensif chez Asselin, lorsqu'il vit venir deux personnes qui causaient et gesticulaient avec animation. Il prêta l'oreille à leur discours. L'une disait :

– Il va débarquer à la Vieille-Église. Sa petite sœur est avec lui ; et le bateau de Paton est chargé de monde. Tout les passagers de Mathurin ont voulu s'en revenir avec le muet. Mathurin est arrivé presque seul.

Le chef interrogea ces personnes et leur demanda si elles parlaient du muet guéri miraculeusement à Sainte-Anne.

– Oui, répondirent-elles. Il va arriver dans une demi-heure au plus : vous voyez la berge sur la batture, vis-à-vis l'îlet. Elle ne monte pas vite, la brise est faible.

– Ce qu'il y a de plus étonnant, reprit l'autre, c'est que sa petite sœur est avec lui.

– Merci ! dit le brigand, qui partit d'un pas plus rapide.

Il annonça la nouvelle à Mme Eusèbe, qui fit prévenir aussitôt son mari par l'aînée de ses petites filles. Asselin travaillait au champ, mais assez près de la maison. Il entra de suite, se rechangea, mit un cheval à la voiture et partit.

– Tu vas au devant de lui ? demanda la femme sans cœur, ce n'est pas moi qui me dérangerais pour cela...

La nouvelle de l'arrivée des pupilles se répandit promptement ; et quand la petite berge amena sa voile et entra dans le rigolet, il y avait sur la grève un grand nombre de curieux. Un immense hourra s'éleva du bateau : le peuple y répondit de la rive. Djos débarqua le premier, tenant par la main sa petite sœur, rieuse et ravie de ce qui se passait autour d'elle. M. Lepage suivait les pupilles et veillait sur son enfant adoptive. Plusieurs de ceux qui étaient sur le rivage vinrent serrer la main au pèlerin et embrasser Marie-Louise.

– Rendons-nous à l'église, dit le jeune homme, allons d'abord rendre grâce au bon Dieu.

Et toute la foule suivit les deux orphelins, qui marchaient se tenant toujours par la main. Et cette foule formait une longue procession qui allait s'allongeant toujours à mesure qu'elle avançait. Le curé vint au devant du jeune homme et le félicita d'avoir été l'objet d'une si haute faveur de la part de Dieu. Il l'invita à la reconnaissance. Et prenant l'enfant dans ses bras :

– D'où viens-tu donc aussi toi, pauvre petite ? c'est ton ange gardien qui te ramène !...

Un bruit confus de voix montait du milieu de la foule. Chacun faisait les commentaires que lui suggérait l'événement. Les uns, rappelant les jours d'enfance du muet, et les traitements inhumains qu'il avait reçus de son tuteur, n'étaient pas fâchés de le voir revenir triomphant, comprenant qu'en effet le triomphe de la victime fait la honte du bourreau. Les autres avaient hâte de voir la contenance de Mme Asselin, et d'entendre raconter à la petite Marie-Louise comment elle s'était égarée dans le bois du Domaine, en allant aux framboises avec sa tante, et comment elle s'était trouvé transportée, comme soudainement, dans une paroisse éloignée. La surprise causée par l'arrivée de l'enfant n'était pas moins grande que l'admiration du miracle de la bonne sainte Anne ! Quelques bonnes femmes disaient :

– C'est la défunte Jean, c'est sûr, qui a veillé, du haut du ciel, sur ses enfants.

– Je le crois bien, répondaient les autres. Car ceux qui sont au ciel peuvent voir et connaître ce qui se passe dans le monde.

– Et ceux qui sont dans l'enfer aussi.

– Je n'en sais rien, répondaient celles qui voulaient restreindre autant que possible la liberté des damnés.

Cela doit être, puisque les esprits immatériels, insaisissables, échappent nécessairement à l'étreinte et ne peuvent être enfermés. Ils volent rapides comme la pensée, passant à travers les corps opaques comme la lumière dans le cristal, et vont de mondes en mondes, portant partout en eux-mêmes la peine et les tourments, ou la gloire et l'ivresse de l'éternité.

La foule entra dans l'église. Les orphelins, passant par la grande allée, vinrent s'agenouiller sur les degrés du balustre. Le prêtre entonna d'une voix émue un cantique solennel : *Dieu va déployer sa puissance...* et tout le monde chanta, dans un transport d'amour et de reconnaissance, avec le lévite pieux, les louanges du Seigneur. Et dans la voûte du temple éclatant de blancheur, l'on eût dit qu'une troupe d'anges invisibles répétait, en les rendant plus suaves et plus doux, ces cantiques joyeux. Au sortir de l'église, quelques habitants invitèrent le pèlerin et sa sœur à venir prendre une tasse de lait ou de thé, car le soir arrivait et les orphelins n'avaient peut-être pas fait un copieux dîner à bord du bateau de Paton. Le curé dit :

– Qu'ils viennent tous deux au presbytère, avec le monsieur qui les accompagne : la servante trouvera bien quelque chose à mettre sur la table ; et s'ils désirent se rendre ailleurs ensuite, ma voiture sera à leur disposition.

Personne n'osa s'opposer au désir du curé, et, par respect, nul n'insista.

Au moment où les orphelins et M. Lepage, cédant à l'invitation du bon curé, prennent le chemin du presbytère, Asselin arrive en calèche à la porte de l'église, saute de la voiture, attache son cheval et rejoint le petit groupe qui s'en va lentement.

À la vue d'Asselin, tous les gens s'arrêtent, curieux, et se retournent pour voir le résultat de son entrevue avec ses pupilles. Plusieurs paraissent étonnés de cette démarche de sa part. D'autres, sachant qu'il était plus méchant que sot, affirment qu'ils s'attendaient à le voir arriver ainsi. Les uns pensent qu'il dissimule ; les autres reconnaissent qu'il ne peut pas agir autrement, sans s'exposer au blâme et au mépris de toutes les honnêtes gens.

Eusèbe salue le curé d'abord, ensuite l'étranger, puis ses pupilles.

– Eh bien ! mon Eusèbe, lui dit le prêtre, le bon Dieu te rend les orphelins qu'il t'avait confiés déjà ; cette fois, il faut que tu les gardes avec soin.

Asselin est dans la confusion, et les remords de sa conscience le portent à croire que chacun peut deviner ce qu'il a fait.

– Je tâcherai, monsieur le curé, balbutie-t-il.

Puis, s'adressant au pèlerin :

– Je te demande bien pardon, Joseph, dit-il, si je me suis défié de toi, et si je ne t'ai pas traité comme mon pupille... je ne te reconnaissais point. Je ne te reconnais pas encore ; mais je suppose qu'il sera facile de prouver que tu es le fils de ma défunte sœur.

– C'était malaisé de le reconnaître, observe le prêtre ; quand il est parti, il babillait comme une pie, et quand il est revenu, cet été, il était muet comme un poisson.

– Avec cela qu'il a diablement grandi, monsieur le curé... voyez donc, c'est un homme, à présent, et un homme richement découplé...

– Dieu ne ferait pas un miracle en faveur d'un renégat et d'un menteur, continue le prêtre.

– C'est ce que je pense, monsieur le curé.

Les curieux regardent toujours, s'efforçant de saisir des lambeaux de la conversation. Le curé monte, suivi de ses hôtes, l'escalier de sa galerie. Asselin s'arrête sur la première marche.

– Monte, monte Eusèbe, dit le curé.

– Merci ! monsieur le curé, merci ! Je suis venu au devant de Joseph et de Marie-Louise, et je vais les emmener à la maison, s'ils veulent bien y venir... s'ils veulent bien me pardonner le mal que j'ai pu leur faire...

Le pèlerin se retourne vers lui, tendant sa main généreuse :

– Le bon Dieu m'a bien pardonné, pourquoi ne vous pardonnerais-je point ? J'étais infiniment plus coupable envers lui que vous l'êtes envers moi.

Eusèbe serra la main de l'orphelin dans la sienne ; et des pleurs mouillèrent ses yeux rarement humides.

– C'est bien cela, repartit le prêtre attendri ; c'est la parole, c'est l'action d'un vrai chrétien. Entrez mes amis, entrez !... Viens, Eusèbe, viens. Rien ne me fait plaisir comme d'être témoin d'une conduite aussi en rapport avec l'Évangile de Notre-Seigneur.

On entre. La foule satisfaite s'écoule bientôt.

Asselin ne conduisit pas les orphelins chez lui, ce soir-là. Le curé voulut les retenir au presbytère afin de les faire causer et d'apprendre, de leurs bouches, ce qu'ils étaient devenus après avoir laissé la maison de leur tuteur, jusqu'au moment où la protection divine s'était, à leur égard, si visiblement manifestée.

Mme Asselin était d'une humeur insupportable depuis une heure, depuis l'arrivée des orphelins dans la paroisse, et elle refusa durement de prêter à sa petite voisine, Noémie Bélanger, un fer à repasser. Il se trouve des femmes, et des hommes aussi, que le dépit rend bêtes. Mme Bélanger soupçonna bien la cause de l'insolente bouderie de la mégère, quand Noémie, toute étonnée de ce refus inqualifiable, revint sans le fer à repasser.

La jeune fille, en apprenant la guérison de son ami le muet, n'a pu retenir une exclamation de joie. Elle s'est abandonnée aux délices d'une espérance infiniment douce aux âmes aimantes. Tout devient souriant et gai dans son cœur et autour d'elle. Elle éprouve une étrange émotion en songeant à la première entrevue avec Joseph, en cherchant à deviner les paroles qui les premières tomberont de ces lèvres qu'elle a vues si fatalement muette, si souffrantes, même dans leur sourire. Le soleil se lève dans l'âme de la vierge, et les vapeurs qui ont voilé ses premiers rayons, se dissipent au souffle de la brise matinale... Mais la nuit descend dans l'âme coupable de la femme d'Asselin, et les derniers reflets de la grâce s'éteignent dans les ténèbres profondes de la cupidité. Elle fait un froid accueil à son mari :

– C'était bien la peine, dit-elle, d'aller essuyer la honte d'un refus... Penses-tu qu'ils vont revenir ici ?...

– Oui, ils viendront demain, répond Eusèbe, et j'entends qu'ils soient bien reçus. Au reste, que veux-tu faire ? De quoi peuvent te servir maintenant ton ressentiment et ta haine ? Je comprends qu'on puisse ne pas les aimer, et que l'on soit contrarié de leur retour ; mais au moins, il faut savoir dissimuler...

La femme, ne sachant que répondre, tourne les talons en faisant une grimace.

Le maître d'école et le vieux Saint-Pierre entrèrent en causant à voix basse. Ils venaient de faire une promenade dans le champ, sous le prétexte de visiter les javelles de blé que la hart n'avait pas encore liées en gerbes. Le chef dit, en entrant, qu'il allait partir pour Saint-Jean, ne trouvant pas à Lotbinière de ferme à acheter. Racette s'offrit de le conduire en voiture, si leur hôte n'avait pas besoin de ses chevaux pour serrer du grain.

– Je n'ai pas de *serrée* à faire, avait répondu Asselin ; tu peux prendre Carillon, et mener monsieur ou il désire aller.

Le maître d'école et le chef des voleurs se dirigèrent, en calèche, vers Saint-Jean. Ils revinrent la nuit sans être vus de personne, et le vieux brigand, armé du fusil d'Eusèbe s'en alla se cacher dans la cave à patates, sur le bord du ruisseau.

XXV

L'ex-élève oublie son latin

Le lendemain de l'arrivée des orphelins à Lotbinière était un dimanche. Chacun s'achemina vers l'église, qui à pied, qui en voiture, en parlant de la récolte et du beau temps, des pupilles d'Asselin et du miracle de sainte Anne. À la maison, pour prendre soin des enfants et faire le ménage, n'était restée que la gardienne indispensable. Ceux qui n'avaient pas encore appris la grande nouvelle du retour inespéré de la petite fille égarée dans les bois et du jeune gars disparu depuis neuf ans, l'entendirent raconter cent fois. Et les deux orphelins furent l'objet de la curiosité et de l'admiration de tout le peuple. Et voilà pourquoi il y eut tant de groupes de jaseurs à la porte de l'église. Après les vêpres, les parents et les amis se rendirent chez le tuteur. La maison s'emplit : elle regorgeait de curieux. Mme Asselin paraissait mal à l'aise. Eusèbe dissimulait-il son dépit ? je l'ignore ; mais sa grosse face rousselée souriait, et lui, d'ordinaire morose, il se montrait affable et causeur. Le subrogé tuteur, Gabriel Laliberté, n'avait pas été le dernier rendu.

Cependant les pupilles n'arrivent pas encore. À tout moment quelqu'un sort pour interroger, du regard, le chemin ; et c'est à qui le premier apercevra la voiture du curé qui doit amener le pèlerin. Tous les hommes peuvent reconnaître, à une demi-lieue de distance, le grand cheval noir du curé. Tout à coup un gars se jette triomphant dans la maison :

– Les voilà ! les voilà ! je reconnais le train long du cheval ! Ils passent devant chez France Gagné.

Tout le monde se précipite. La voiture prenait la route de Saint-Eustache, la concession où demeurait Asselin. Il est impossible de la reconnaître d'abord. On attend avec patience, et quand elle est sur le petit coteau, vers le milieu de la route, chacun peut admirer l'ardeur de la bête qu'une main habile conduit. Les maquignons, attirés les uns vers les autres par l'instinct ou l'unité de goût, se trouvent réunis en un peloton bavard et tapageur. Ils étudient l'allure aisée du grand cheval, font le dénombrement de ses qualités, parlent de ses écarts guéris et de sa corne dure. Ils reconnaissent que nul d'entre les plus beaux de la gent chevaline ne se porte mieux la tête. Ils restent bien penauds quand arrive la voiture. Ce sont les orphelins attendus, mais ce n'est point le cheval du curé. Le prêtre, appelé auprès d'un malade, avait prié Amable Simon de mener Joseph et Marie-Louise chez leur oncle. Amable Simon s'était rendu avec plaisir au désir du curé.

Eusèbe se tient à la porte avec les autres hommes. Il prie tout le monde d'entrer. Les pupilles entrent les premiers, suivis de M. Lepage. Les femmes s'écrient en apercevant l'enfant :

– Cette chère petite ! voyez donc comme elle est belle ! Elle a grandi !... C'est un miracle aussi qu'elle soit revenue !

Toutes l'embrassèrent avec une véritable émotion, et plusieurs en pleurant. La femme d'Eusèbe n'eut pas l'énergie de dompter sa haine, et, la dernière, elle s'approche de l'enfant pour l'embrasser. Eusèbe qui l'épie, rougit d'indignation. En apercevant sa tante, Marie-Louise va vers elle et lui tend les bras :

– Tante, dit-elle, pourquoi donc ne m'attendais-tu pas ? pourquoi te sauvais-tu toujours ?

Cette parole que la naïve enfant dit en souriant, est comme un coup de poignard dans le cœur de la femme méchante. Mme Eusèbe pâlit, balbutie quelque chose comme : « Tais-toi donc, petite folle ! » puis effleure de sa bouche dédaigneuse le front radieux de la jeune orpheline. La parole de l'enfant surprend tout le monde, et l'on entend un chuchotement pareil au premier bruissement du feuillage quand la brise se réveille. Marie-Louise, heureuse de se retrouver dans cette maison ou pourtant elle a bien souffert, ressemble à l'oiseau que l'on élève prisonnier dans une cage. Il sort, ouvre gauchement ses ailes qui n'ont jamais nagé dans les flots de lumière, s'effraie de l'immensité qui l'environne et de cette liberté qui l'étourdit, ne comprend pas les appels voluptueux des compagnons qui l'invitent sur les cimes en fleurs, et revient se poser sur les humbles juchoirs de sa prison. Marie-Louise demande ses petites cousines. Les enfants ne dissimulent point : ils n'ont point de rancune et ne se souviennent pas des chagrins de la veille. Ils sont impressionnables, mais leurs émotions sont courtes : ils passent sans cesse du plaisir aux larmes et des chagrins à la joie. Les petites cousines de Marie-Louise se sont ennuyées tout un jour de leur compagne de jeu. Depuis longtemps elles n'y pensent plus qu'avec indifférence, mais en la revoyant elles sentent renaître dans leur jeunes cœurs l'amitié endormie, et, joyeuses, elles lui sautent au cou pour l'embrasser.

Le pèlerin rappelle, pour que l'on ne puisse mettre en doute son identité, des faits dont il a été témoin dans son enfance, et il répond avec une surprenante exactitude aux questions qu'on lui fait. Il a tant songé, pendant les six mois de mutisme dont la colère de Dieu l'avait frappé, il a tant songé à tout : à son enfance, à ses parents, à ses amis, aux agissements et aux paroles de chacun, que les moindres choses sont gravées à jamais dans sa mémoire. Il y a déjà plus d'un quart d'heure que l'on cause ainsi quand le maître d'école arrive. Longtemps il a réfléchi avant de se décider à paraître devant le pèlerin. Mais sachant qu'il a prévenu les gens en sa faveur, et que le pèlerin ne peut lui reprocher autre chose que l'enlèvement de l'enfant, il paie d'audace et brave le ressentiment de son jeune ennemi. À sa vue Joseph se lève :

– Comment, vous ici ? dit-il, vous ?...

– Et pourquoi pas ? repart le maître d'école en souriant.

– Je ne sais ce qui me retient !... continue le pèlerin qui prend feu, j'ai envie de vous...

Il oubliait qu'il n'était pas chez lui et que le maître d'école était dans la maison de son beau-frère. L'on fut étonné de ce mouvement de colère du jeune garçon.

Racette, habile à dissimuler, reprend, toujours souriant :

– Tu m'as cru méchant... tu pensais que je voulais perdre ta petite sœur, et je voulais la sauver !... Je n'étais animé que de bons sentiments... Et puis je ne te reconnaissais pas. Si je t'eusse connu, cher enfant, j'aurais été content de laisser ta sœur bien-aimée sous ta protection... Je croyais que tu l'avais enlevée à ses parents, à ses tuteurs, et je voulais la leur rendre. Voilà tout mon crime.

L'orphelin remarque, tout étonné, que le maître d'école reçoit des marques d'approbation de plusieurs.

– Pourquoi l'avez-vous enlevée de nuit et avec l'aide d'une bande de voleurs et de brigands ? Est-ce là le fait d'un honnête homme ? Quand on agit dans les ténèbres, c'est que l'on a peur de l'éclat du jour ; et quand on a peur de la lumière, c'est que l'on fait le mal.

Le maître d'école ne dit rien. Le pèlerin, enhardi, continue en lui lançant des regards foudroyants :

– Vous vous associez à des voleurs, donc vous ne valez pas mieux qu'eux ! L'un de ceux qui sont venus avec vous au Château-Richer, Clodomir Ferron, que Dieu me pardonne si je médis, était l'un des voleurs qui se sont introduits ici l'été dernier ; je l'ai vu. C'est lui qui a demandé du lait à Noémie Bélanger, et qui l'a insultée en l'embrassant. Ils étaient trois ; ils m'ont lié, garrotté et traîné derrière la grosse roche, au milieu du champ de Beaudet. Ils m'ont ensuite mis dans une charrette et conduit à la grève, comme vous le savez. Clodomir est peut-être mort à l'heure qu'il est. Il porte la peine de sa faute. Voilà vos amis, vos compagnons, et vous voulez que je ne me défie point de votre amitié, de vos paroles ?...

Cette révélation jette l'émoi dans la maison. La surprise se peint sur toutes les figures et le maître d'école, foudroyé par l'audace du jeune homme, perd la sympathie des gens. Mais bientôt son hypocrisie raffinée prend le dessus ; il retrouve son sourire d'occasion.

– Il n'est pas encore prouvé que Clodomir Ferron soit un voleur, repart-il, et tu devrais songer qu'il a des parents et des amis ici, qui n'entendent pas sans regret et sans peine une pareille accusation.

– C'est vrai ! répondent deux ou trois voix.

Le maître d'école reprenait la position d'où le pèlerin l'avait délogé. Le pèlerin perdait du terrain. Cependant il réplique :

– S'il n'y a rien de prouvé maintenant, dans quelques jours il n'y aura plus rien de caché, ni d'incertain. La justice informe, et mon témoignage en vaut bien un autre, je suppose !...

– Sainte mère de Dieu ! repart la mère Lozet, un jeune homme qui vient d'être guéri par un miracle de la bonne sainte Anne peut-il mentir ?

Cette réflexion opportune rendit à l'orphelin la confiance de tous.

À ce moment une exclamation enfantine et joyeuse s'éleva :

– Mon petit panier ! mon petit panier !

C'était Marie Louise qui venait d'apercevoir, sur une armoire, le petit panier de frêne dont elle s'était servie pour aller cueillir des framboises avec sa tante, au mois d'août dernier. Elle monta sur le dossier d'une chaise et fit tomber, à l'aide d'une aune, le petit panier qui roula dans la place. Elle le ramassa, l'examina avec curiosité :

– Je le garde, dit-elle ; ce sera un souvenir !...

Les framboises avaient rougi le fond du panier, comme la honte ou le dépit rougissait en ce moment les joues de la femme coupable.

– Il était à moitié de framboises, reprit l'enfant, s'adressant à sa tante, quand vous m'avez appelée au fond du bois... Si vous aviez voulu rester dans l'abatis avec moi !... il y en avait des framboises !... Dieu qu'il y en avait !... Dans le bois, elles étaient rares... J'irai encore aux framboises, mais quand même vous me diriez de vous suivre au fond de la forêt, je ne vous écouterai plus.

M. Lepage, comme tous les autres et mieux que les autres peut-être, voyait bien les tortures que ces innocentes paroles faisaient endurer à la femme d'Asselin, et, soupçonnant le crime dont cette méchante s'était rendue coupable, il dit à l'orpheline qu'elle retournerait avec lui au Château-Richer dès le lendemain, si ses parents voulaient bien le permettre, et que là elle ne s'égarerait point dans les forêts. Le subrogé tuteur témoigna le désir de la recueillir chez lui. Lepage insista, promettant de l'entourer plus que jamais de tous les soins que demandait son jeune âge, et s'engageant à la placer dans un couvent pour la faire instruire. Il eût été injuste de refuser à cet homme charitable une si bonne occasion de pratiquer la plus belle des vertus, et à cette orpheline les biens précieux dont on voulait la combler.

Pendant que l'on décide de laisser l'enfant à son nouveau protecteur, deux jeunes gens entrent : ce sont Picounoc et l'ex-élève. Bien qu'il y eût du froid entre eux, ils étaient venus ensemble, voir leur camarade et s'assurer de sa guérison miraculeuse. L'ex-élève porte un visage radieux. Les chagrins ne laissent pas de longues traces sur cette nature folâtre et gaie. L'amour, comme un vin généreux, l'enivre. Picounoc n'a plus son air gouailleur de coutume, ni son rire sceptique, ni sa voix nasillarde, car il ne parle plus, pour ainsi dire. En revanche, dans sa pâleur ils paraît plus long que la veille. Tous les regards se fixent sur eux. Ils ne s'en émeuvent point : la timidité n'est pas le défaut d'habitude des gens de cage. À la vue de ses compagnons, le pèlerin s'écrie :

– Paul ! Picounoc ! et il s'avance au devant d'eux en leur tendant la main.

L'ex-élève, surpris d'entendre parler son ami, bien qu'il s'attende à ce prodige, oublie son latin :

– C'est donc vrai ? dit-il... C'est donc vrai ?

– Et oui ! repart le pèlerin, seulement, je ne parle pas latin comme toi.

L'ex-élève sourit. Picounoc prenant la parole :

– Tu n'étais pas muet ; c'est un tour que tu nous as joué.

Le pèlerin jette au garçon nasillard un regard de reproche :

– N'ai-je pas été assez méchant dans les chantiers pour mériter le châtiment que tu sais ?

Picounoc penche la tête. Le pèlerin ajoute :

– Si Dieu, dans sa justice, a jugé nécessaire de faire un miracle pour me punir, ne peut-il pas, dans sa miséricorde, faire un autre miracle pour m'annoncer le pardon ?

– Je t'avoue bien, reprit le grand gars, que je suis dur de croyance ; et les discours d'un autre qui parlerait ainsi, m'entreraient par une oreille pour sortir par l'autre. Mais toi...

– Crois-en ce que tu voudras ; moi je sais ce que je sais. Dieu te préserve de ses châtiments !

Les deux jeunes étrangers s'assirent auprès du pèlerin et se mirent à rappeler des souvenirs du chantier. Mme Bélanger passa devant la porte avec sa fille Noémie. Elles revenaient de vêpres, à pied toutes deux.

– Vous n'entrez pas voir Joseph ? demanda Eusèbe qui sortait pour reconduire Amable Simon.

– Est-il ici ? fit Mme Bélanger.

Noémie tressaillit comme la corde d'une lyre ; un doux serrement de cœur la fit soupirer ; ses joues s'empourprèrent comme la fleur de trèfle au soleil de juillet.

– Nous entrerons bien un instant, dit Mme Bélanger en s'avançant vers le perron.

Amable Simon, fier de son cheval, partit au grand trot, dans sa calèche verte.

– Voilà Mme Bélanger et sa fille, murmurèrent plusieurs femmes.

Tous les yeux se braquèrent sur le pèlerin. On savait qu'il éprouvait de l'amitié pour la brune Noémie. Le pèlerin ne put supporter sans rougir cet assaut de la curiosité. Noémie suivait sa mère et paraissait vouloir se dérober aux regards indiscrets. Le pèlerin voulut dompter sur-le-champ sa folle timidité. Il souhaita le bonjour à Mme Bélanger, et dit à la jeune fille qu'il était heureux de la revoir, surtout heureux de pouvoir lui parler comme aux jours déjà loin de son enfance, alors qu'ils allaient ensemble à l'école. Les souvenirs de l'enfance !... voilà le thème facile, abondant, délicieux, sur lequel brode éternellement l'imagination vive de la jeunesse et la conception lente du vieil âge ! Voilà l'objet des plus charmantes causeries, et des retours les plus touchants ! C'est une oasis où l'on se repose en traversant les steppes arides de la vie... Ceux qui ont été amis dans l'enfance ne peuvent plus jamais devenir étrangers les uns aux autres. Le pèlerin et Noémie parlèrent de mille incidents qui les avaient alors bien intéressés. Ceux qui les écoutaient ne pouvaient pas deviner tout le charme de cet entretien.

– Te souviens-tu, dit Noémie, de cette fois où Clodomir Ferron te jeta dans la vase, en allant à l'école ?

– Je ne l'oublierai jamais, Noémie, car tu me révélas alors ton bon cœur et ta sensibilité...

Noémie rougit. Elle continua :

– Le maître injuste, au lieu de punir Clodomir, te donna des coups de règle...

– Et tu pleuras, acheva le pèlerin, avec un sourire un peu triste.

La jeune fille avait encore envie de pleurer.

– Il était bien injuste, ce maître, dit-elle, après un moment de silence.

– Il est ici, observa le jeune homme à voix basse.

Noémie jeta un coup d'œil dans la salle et reconnut le maître d'école, assis auprès de son beau-frère. Elle devint rouge de honte, et pencha la tête comme si elle eût été coupable d'une grande faute.

– Mon Dieu ! dit-elle, qu'ai-je fait ?

– Tu n'as dit, tu n'as fait rien de trop, reprit le pèlerin à haute voix. Ce maître était injuste et cruel... et je le soutiens à sa face...

Le maître d'école, plus confus que Noémie, surtout plus coupable, dévora cet affront en silence.

XXVI

La parole vaut mieux que le signe

La folle, toujours penchée au-dessus de la berge, regarde s'approcher dans la lumière de la lune, sur le lit à demi-desséché du ruisseau, les deux assassins.

– Attends-nous, répète le chef, nous allons te rendre la petite Marie-Louise. Elle est ici, couchée sous les feuillages.

Quand il est assez près d'elle, il tire de sa ceinture un pistolet chargé. La folle, immobile, contracte ses prunelles pour mieux voir... Le chef allonge le bras et vise au cœur de l'infortunée. Racette dit à son complice :

– J'aimerais mieux la prendre vive ; nous la tuerons ensuite.

– Le chef baisse son arme :

– Viens, reprend-il, descends ! nous ne sommes pas capables de monter l'enfant dans nos bras.

La folle part d'un grand éclat de rire.

– Je tire ! dit Saint-Pierre.

– Elle va descendre, répond le maître d'école.

La folle rit toujours.

– Elle peut nous faire pendre, repart le chef en relevant son arme.

La folle se retire d'un pas en arrière.

– Faites comme vous voudrez, dit Racette.

Le coup retentit. Un cri s'élève ; il est suivi d'un rire strident, et la folle disparaît. Les deux misérables la poursuivent en vain. Ils la voient de loin, au clair de la lune, s'enfuir comme un fantôme dans les champs solitaires, et, de temps en temps, l'écho leur apporte des sons clairs et entrecoupés qui ressemblent à un rire sinistre.

Geneviève se retirait d'ordinaire chez M. Bélanger. Elle revint frapper à la porte de l'honnête maison. Elle était pâle, haletante, bouleversée. Un moment elle riait aux éclats, le moment d'après elle sanglotait. Mme Bélanger lui donna les meilleurs soins et la fit mettre au lit. Le lendemain, la pauvre folle resta sur sa couche fiévreuse toute la journée. Le dimanche, M. Bélanger garda la maison, et sa femme et Noémie allèrent à la messe, car elles auraient eu peur à rester seules avec l'infortunée Geneviève. Dans l'après-dîner la folle sortit. Elle s'en vint chez Asselin.

– Geneviève ! voici Geneviève ! dirent les gens.

Elle entre. Elle paraît avoir peur de la foule qui remplit l'appartement :

– Pour l'amour de Dieu, commence-t-elle d'une voix plaintive, rendez-la-moi !... Je ne lui ferai pas de mal... je l'embrasserai... je la presserai sur mon cœur... et je la porterai au pied de la croix, sur la côte de sable... J'ai promis à sa mère de la sauver ! Si je ne la sauve pas, voyez-vous, je serai damnée, et j'irai me coucher dans la tombe du ruisseau !

Elle se met à pleurer. M. Lepage s'avance vers elle :

– Geneviève ! Geneviève ! allons ! reconnais-moi : la petite est trouvée...

– Monsieur Lepage ! Monsieur Lepage ! repart la folle en levant les mains au ciel... La petite est-elle dans la tombe du ruisseau ? L'eau qui coule va la noyer !...

– Marie-Louise est ici ; tu vas la voir, tiens, regarde !...

L'enfant venait d'une autre chambre avec ses petites cousines :

– Ah ! mon Dieu ! mon Dieu ! s'écrie la pauvre folle en se précipitant sur l'enfant qu'elle enlève dans ses bras et couvre de baisers. Marie-Louise ! dit-elle, Marie-Louise ! ta mère va m'aimer ! Je vais être sauvée !... Viens ! je t'emporte sur la côte de sable... Je vais aller te déposer au pied de la croix !... C'est ta mère qui me l'a dit !...

Et elle s'élance vers la porte avec l'enfant dans ses bras. Tout le monde est dans la stupéfaction.

– Arrête ! Geneviève, arrête !... dit M. Lepage, en la retenant par un bras. Attends-moi ! nous nous en irons ensemble.

La folle éclate de rire et serre plus fort la petite qui cherche à s'échapper :

– Vous ne me l'ôterez plus ! hurle-t-elle, personne ne l'aura ! Je la garderai bien !... Je ne dormirai plus jamais, afin de veiller sur son sommeil !... Mais laissez-moi donc aller, le sable roule au fond de l'abîme, et le monstre m'appelle.

Tous les yeux se fixent sur le maître d'école, qui demeurent comme paralysé par la terreur. La folle regarde par instinct du côté où regardent les autres. Elle aperçoit Racette :

– Sauvez l'enfant ! sauvez-moi ! sauvez-nous... Il va me la ravir encore ! reprend-elle. Il va la jeter dans la tombe du ruisseau !... J'ai peur ! Sainte mère de Marie-Louise, secourez moi !... Il sourit !... il m'appelle au fond du gouffre !... Chassez-le donc ! il va souiller vos filles !... Chassez-le donc ! il va ravir vos enfants !... Vous n'aimez donc pas vos filles qui sont pures comme des lis, vos enfants qui ressemblent aux anges ?... Va-t'en ! entends-tu ? va-t'en !...

La fureur s'allume dans ses yeux, ses cheveux se tordent sur sa tête, l'écume de la rage borde ses lèvres comme le rapport de la mer borde le rivage. Bien des personnes tremblent d'effroi. Noémie se serre contre le pèlerin.

– Ne crains rien, dis le jeune homme ; cette fille a aussi une vengeance à tirer du maître d'école.

– Quelques-uns disent à Racette de sortir. Marie-Louise demande, de sa petite voix charmante, à la pauvre Geneviève de la laisser en liberté, mais Geneviève l'étouffe dans une étreinte de plus en plus violente. Chacun tour à tour, par des paroles affectueuses, s'efforce de faire entendre raison à l'insensée. Elle reste impitoyable. Il faut la saisir, et lui arracher de force, pendant qu'elle écume de rage, l'enfant épouvantée qui pleure. Pour tromper son implacable protectrice, on fait sortir l'orpheline par la porte de devant et on la ramène secrètement par la porte de derrière. La folle, rendue à la liberté, s'élance dehors en criant :

– Marie-Louise ! Marie-Louise ! Marie-Louise !

L'apparition inopportune de l'infortunée Geneviève produit une émotion pénible. Le maître d'école se glissa furtivement en dehors de la pièce. Il regrettait le complot tramé contre le pèlerin pour sauver la vie de ses nouveaux compagnons. Il commençait à voir qu'on s'était hâté de le compromettre en lui donnant un rôle dangereux à jouer. Un moment il fut tenté de faire des aveux et d'empêcher, aux dépens de sa réputation et au risque de sa vie, un crime affreux. La honte le retint :

« Je suis rendu trop loin pour reculer, pensa-t-il, laissons faire, advienne que pourra. »

Chacun s'en alla chez soi. M. Lepage resta avec sa protégée chez Asselin. Le pèlerin accompagna chez elle la jolie Noémie. Ils passèrent la soirée, l'un près de l'autre, causant de choses bien tendres, échangeant de doux regards, et mêlant d'adorables sourires. L'ex-élève retourna vers sa fidèle Emmélie. Picounoc, l'air repentant, revint s'asseoir près de sa mère malade. Pendant la nuit le maître d'école, portant des provisions dans un sac de toile, se rendit à la cave où dormait, sur une botte de paille fraîche, le chef des voleurs. Les deux vauriens eurent un long entretien que ne révéla point le caveau discret.

Quand le jour fut levé, M. Lepage fit ses préparatifs de départ. Les bateaux avaient fait la criée pour six heures du matin. Les habitants, dès cinq heures, passaient déjà, conduisant de lourdes charretées de grain. Cependant Geneviève, disparue depuis la veille, ne revenait point. Elle avait passé la nuit dehors, car ceux qui d'ordinaire lui donnaient asile, ne l'hébergèrent point cette nuit-là.

M. Lepage ne pouvait prolonger davantage sa promenade : beaucoup de grain javelé pouvait être gâté par l'eau, si les mauvais temps, fréquents l'automne, prenaient avant qu'il fut engerbé et serré. Le cultivateur doit, plus que tout autre, mettre à profit tous les instants. Il a souvent lieu de regretter, aux jours de pluie, les heures qu'il a perdues quand le temps était beau. M. Lepage ressentit du chagrin en songeant à la pauvre folle qui cherchait encore l'enfant retrouvée. Il pria les gens du voisinage d'en prendre soin, et promit de revenir la chercher un peu plus tard. Les adieux de Marie-Louise et du pèlerin furent touchants. La jeune fille, pourtant, ne comprenait guère la profondeur de l'attachement que lui portait son frère. Elle ne le connaissait que depuis quelques jours : elle ne se souvenait plus que d'une manière vague du temps qu'ils avaient passé ensemble sous la tutelle de leur oncle. Mais lui, le pèlerin, il n'avait rien oublié ; il aimait sa sœur d'une amitié vive, constante, inaltérable, parce qu'elle avait souffert, parce que la même infortune avait d'abord empoisonné leurs jours, parce qu'il était plus fort et plus âgé qu'elle, et qu'il l'avait sauvée deux fois de la mort.

Imposant silence à son ressentiment, ornant sa bouche hypocrite d'un faux sourire, voilant sous une indifférence affectée la malice de ses yeux, la femme d'Eusèbe adressa quelques paroles bienveillantes au pèlerin qui se disposait à sortir, vers le soir, pour se rendre auprès de Noémie. Joseph, charmé de ce changement subit, se plut à causer avec sa tante. Elle en vint adroitement à lui parler de la magnifique sucrerie qui bordait le ruisseau :

– Tu ne la reconnaîtrais point, dit-elle, tant les érables ont grandi depuis neuf ans. Le bois est sarclé : on dirait un bocage. Les voitures pourraient circuler entre les arbres. C'est la plus belle érablière de toute la paroisse. L'été, les jeunes gens y vont faire des dîners champêtres. Ton oncle en a pris soin comme de son propre bien. Le ruisseau, nettoyé, coule une eau fraîche. Vas-y, cela en vaut la peine.

– Oui, ma tante, déjà je me suis proposé de faire une petite promenade de ce côté. J'aurais voulu y conduire Marie-Louise. Elle aurait trouvé joli ce ruisseau ; les grands bois auraient frappé sa jeune imagination...

– La cave est bien conservée, reprit la tante malhonnête ; tu te souviens de la cave à patates, sur la côte du ruisseau ?... Nous y mettons des patates chaque automne. Elles s'y conservent bien. Nous en mettrons encore cette année : il faudra voir cependant si elle est en bon état. Tu pourras peut-être t'assurer de cela toi-même.

– Sans doute, répondit le jeune garçon, qui ne soupçonnait aucunement les traîtres desseins de sa tante. Je m'y rendrai ce soir même ; il me tarde de faire le tour de cette terre que mon pauvre père a tant de fois arrosée de ses sueurs.

– Ton père ne l'a pas eue longtemps, cette propriété : quand il est mort, il ne la possédait que depuis trois ans. Ne te souviens-tu pas d'avoir demeuré, vis-à-vis d'ici, au bord de l'eau ?

– Il me semble, en effet, que je m'en souviens.

– Cette terre du bord de l'eau était la terre paternelle. C'est là que tes ancêtres ont vécu et sont morts.

Le pèlerin sortit tout à fait charmé de la bonne humeur de sa tante. Il se rendit chez M. Bélanger. Noémie s'en allait voir sa jeune amie Antoinette Delorme, que le médecin venait de condamner, mais qui, pour cela peut-être, ne devait pas mourir de longtemps encore. Noémie voulut retarder son départ, et même remettre sa visite au lendemain matin. Mais le pèlerin ne le permit point et sollicita de la jeune fille l'honneur de l'accompagner. Noémie se donna bien garde de rejeter une prière qui lui causait un vif plaisir. Les deux amoureux partirent à pied, sur le bord du chemin sec et poudreux comme au temps de la chaleur. Les champs étaient remplis de moissonneurs. On entendait les cris des conducteurs de charrettes qui gourmandaient les chevaux paresseux ou brouillons. Il y a, à l'approche du triste et morne hiver, un redoublement de vie, à l'approche du soir un redoublement d'éclat dans le soleil. Joseph et Noémie passèrent devant la maison fermée de défunt Jean Letellier. Des souvenirs en foule inondèrent leurs esprits. Ils s'arrêtèrent pour se recueillir. Leurs regards plongèrent par les fenêtres dans les appartements déserts. C'est là que naguère, tous deux muets, silencieux, ils étaient venus, entraînés, lui par l'invincible besoin de revoir ces lieux encore tout empreints des traces bénies de sa mère et de son père, elle par l'ascendant merveilleux du jeune homme en pleurs.

– Ô Noémie, dit le pèlerin en pressant la main de la compatissante enfant, ô Noémie, tu ne sauras jamais ce que j'ai souffert dans cette chambre, quand nous y sommes venus ensemble, l'autre fois, et tu ne comprendras jamais la joie que j'y ai goûtée !... ce que j'ai souffert en me voyant dans l'impossibilité de dire qui j'étais, de rappeler ce que j'avais vu se passer à la mort de ma mère, de raconter toutes ces choses de l'enfance qui me revenaient à l'esprit si nombreuses et si charmantes !... ce que j'ai goûté de joies, en voyant tout à coup que tu me comprenais, que tu me devinais, que tu disais mon nom que je ne pouvais pas te dire !... Oh ! jamais, je n'oublierai ce moment !...

– Jamais je n'oublierai, non plus, reprit Noémie, les émotions qu'alors j'ai ressenties !... jamais, non plus, je ne pourrai bien m'en rendre compte !... C'est comme un rêve qui nous échappe au réveil. Je sais que j'étais heureuse et que je pleurais avec toi...

– Noémie, je ne pouvais pas alors te dire ce qui se passait dans mon âme ; mes regards seuls me trahissaient, et j'étais sans espoir !... Comment aimer un misérable qui ne peut pas vous faire entendre ces doux serments qui résonnent, comme une harmonie divine, aux oreilles et jusqu'au fond du cœur de l'objet aimé ?... Oh ! que j'étais malheureux, Noémie !... que j'étais malheureux ! car je t'aimais, vois-tu, je t'aimais !...

La jeune fille baissait les yeux avec grâce.

– Tu avais pitié de moi, peut-être, continua le pèlerin, mais tu ne m'aimais point !... tu ne pouvais pas m'aimer !... Maintenant que je parle ; maintenant que tu sais que je ne suis ni un voleur, ni un malhonnête homme ; maintenant que tu sais que je suis ton compagnon d'enfance, ton vieil ami ; maintenant que tu sais que je t'aime, Noémie, m'aimes-tu ?

La jeune fille serra la main du pèlerin. Un aveu suave tomba de ses lèvres :

– Je t'aime !... dit-elle timidement et bien bas.

Mais le jeune homme entendit. N'eût-il pas entendu, qu'il eût bien compris le serrement de main timide, léger, ravissant qui fit courir un frisson d'ivresse dans toutes ses veines.

Tous deux, en silence, ils s'éloignèrent de la maison délaissée.

XXVII

La cave

Le pèlerin accompagna Noémie. Ils marchèrent lentement, bien lentement, et la route, malgré cela, leur parut fort courte.

Le soleil couchant brille comme une lampe d'or au sommet des montagnes bleues, et ses rayons qui traversent de légers nuages blafards, paraissent comme les chaînes de diamant qui suspendent au ciel cette lampe merveilleuse. Un souffle frais passe dans l'air et sèche le front humide des laboureurs. Par intervalle l'on entend le beuglement des génisses au milieu des gras pâturages, les hennissements des chevaux qui se saluent de loin, et les bêlements timides des agneaux. Le pèlerin, ivre de bonheur, s'en revient en songeant à sa bien-aimée. Quand on aime et que l'on est aimé, l'on fuit le tumulte et le monde, et l'on se plaît dans la solitude. Tout ce qui n'est pas l'amour paraît insipide, et le reste de la terre ne vaut pas le petit coin du monde, humble et retiré, où l'on a trouvé le bonheur. Rêveur, il franchit la clôture de perches qui borde le chemin, vis-à-vis la maison de son défunt père, et s'achemine, par le chemin tracé dans la prairie, vers l'érablière.

Le chef des voleurs et le maître d'école étaient tous deux enfermés dans la cave de terre, sur le bord du ruisseau. Le vieux Saint-Pierre ne voulut pas laisser sortir son complice. Il voulait qu'ils fussent solidaires du crime. Racette dissimulait mal sa terreur et ses regrets. Le chef avait pratiqué dans un côté du caveau une petite ouverture. Cette ouverture donnait sur le sentier où passaient ceux qui descendaient vers le ruisseau. De temps à autre, sortant la tête en dehors de la cave, ou par la porte jetée comme une trappe sur le dessus, les deux brigands regardaient, dans le clos moissonné, si par hasard Joseph ne venait point. Le soleil du midi avait laissé tomber quelques chauds rayons dans la cave sombre, le soleil couchant n'y entra point. Tout à coup Saint-Pierre, qui venait d'élever sa tête de monstre au-dessus de la porte, s'écria :

– Le voici !

Racette regarda à son tour. C'était bien lui ! c'était l'orphelin qui venait, tout à son amour, tout à son bonheur, vers la cave dangereuse. Les brigands s'enfoncèrent sous la voûte épaisse, fermèrent la trappe, et se donnèrent la main dans une anxiété terrible. Le maître d'école tremblait. Il s'assit dans un coin, s'adossant aux pièces pourries. Le chef prit le fusil, en fourra le canon dans la meurtrière nouvelle, et, le doigt sur la gâchette, l'œil fixé sur le sentier, il attendit.

Le pèlerin regarde, de loin, la forêt d'érables qui déroule son voile gris de l'autre côté du ruisseau. L'image de la belle Noémie est toujours devant ses yeux. On dirait qu'elle l'appelle et qu'il la suit. Il voit glisser une ombre blanche à travers les troncs noueux. C'est la folle qui revient à la fosse mystérieuse. Il ne s'aperçoit pas que le soleil est descendu derrière les Laurentides ; il ne voit pas remuer, dans l'ouverture de la cave, la bouche menaçante du fusil braqué sur lui. L'arme meurtrière tourne lentement à mesure qu'il avance. Le vieux brigand attend que sa victime soit plus près de la côte, plus près de sa tombe humide...

Les ténèbres sont profondes autour des meurtriers. Seul, par l'ouverture nouvelle, un rayon de lumière entre ; comme un dard menaçant ou comme l'œil de Dieu, dans cette ombre épaisse, et traverse d'outre en outre la cave obscure.

Joseph, souriant à la solitude qui l'environne, s'arrête sur le bord sablonneux du cours d'eau. La reconnaissance envers Dieu s'unit à l'amour dans son âme repentante. Il tombe à genoux. Au moment où il se prosterne pour adorer le Seigneur miséricordieux, une sourde détonation gronde. La folle, de l'autre côté du ruisseau, s'écrie :

– La tombe est encore vide !... Marie-Louise ! Marie-Louise !... Pour qui ce sépulcre étrange ? Marie-Louise ! Marie-Louise !... Les corbeaux se rassemblent au-dessus du cadavre que la terre bénite ne recouvre pas !... Malheur à ceux qui traînent dans la fange la robe blanche des vierges !... Marie-Louise ! Marie-Louise !... Malheur à ceux qui vendent leur âme pour un peu d'or !... Malheur à ceux qui se cachent pour surprendre leurs ennemis !... Malheur à ceux qui se servent de l'épée, ils périront par l'épée !... Marie-Louise ! Marie-Louise ! Marie-Louise !

Et, glissant à travers les arbres grisâtres, comme un flocon de neige dans le ciel nuageux, elle s'enfonce dans la forêt.

Trompé par le mouvement imprévu du pèlerin qui s'agenouille, l'assassin tire trop haut et la balle sifflante se perd au loin. Au bruit de la détonation le jeune homme détourna la tête. Il voit, à quelques verges de lui, la cave noire et pesante trembler comme les épaules d'un vieillard. Une légère fumée s'échappe par les fissures, comme une fine poussière, et se dissipe dans l'air. Le bruit sourd se prolonge : il est suivi d'un craquement sinistre.

Le caveau s'écroulait.

Le pèlerin surpris se dit à lui-même et presque à voix haute :

« C'est heureux que je ne sois pas entré dans cette cave ! »

Il avait eu un instant l'idée de l'aller visiter, afin d'obéir à l'intention de sa tante ; mais l'heure avancée ne permettant plus de la bien examiner, il s'était dit : « J'y reviendrai demain », et passa outre. Son attention fut tout à coup appelée ailleurs par les paroles étranges de la folle. Il la vit d'abord se pencher vers le ruisseau, puis ensuite se perdre sous la ramure fantastique. Il s'aperçut que le lit du ruisseau avait été creusé depuis peu sur un espace de quelques pieds :

« Est-ce là, pensa-t-il, ce qu'elle appelle la tombe ? »

Il descendit. La largeur et la longueur de ce trou le faisaient, en effet, ressembler à la fosse que l'on creuse dans le cimetière. L'orphelin se perdit en conjectures. Il ne put deviner l'objet de ce travail nouveau. Ses rêves gracieux s'étaient envolés comme un essaim timide. Un sentiment de tristesse douce et vague s'emparait de ses esprits. L'écroulement de la cave où il aurait pu trouver la mort, les paroles extravagantes de la fille infortunée, le silence des bois, l'aspect de cette fosse béante, tout le portait à la mélancolie, et jetait le trouble dans son âme. Pourtant il ne savait pas à quel danger terrible il venait d'échapper en se jetant à genoux. Il revint à la maison de son tuteur. Plusieurs voisins, pour se reposer des fatigues de la journée, fumaient leur pipe avec Asselin tout en jasant de mille choses. Le pèlerin raconta qu'il venait de faire un tour sur le haut de la terre. Mme Eusèbe tressaillit, mais personne ne s'en aperçut. Il dit qu'il avait vu la folle, et répéta ses étranges phrases ; que la cave s'était écroulée pendant qu'il était là, sur la berge du ruisseau ; qu'il avait eu envie d'y entrer en passant. Mme Asselin ne put réprimer un cri. Le pèlerin pensa que sa tante s'apitoyait sur le danger qu'il avait couru.

– Ne craignez rien, ma tante, lui dit-il en souriant, vous voyez que je suis sain et sauf.

Eusèbe, prenant la parole, avoua que cela ne le surprenait nullement, vu que la charpente de cette cave était toute pourrie, et que le poteau qui la soutenait au milieu, pliait depuis longtemps sous le poids de la terre. Joseph regarda sa tante avec étonnement. Elle était blanche comme la chaux des cloisons. Un amer soupçon traversa son esprit ; il le chassa comme une mauvaise pensée. Après un moment il demanda à son oncle pourquoi l'on avait creusé, dans le lit du ruisseau, un trou de la forme et de la grandeur d'une fosse.

– Je ne sais pas ce que tu veux dire, répondit l'oncle surpris.

– C'est sans doute la tombe du ruisseau dont parle toujours la folle, reprit le pèlerin.

– La tombe du ruisseau ? répétèrent les fumeurs en soufflant une bouffée d'odorante fumée, il faudra voir cela...

Saint-Pierre, l'œil fixé sur sa victime, tout entier à la vengeance et plein de la pensée du meurtre, le maître d'école, accroupi sous la voûte humide et basse, tremblant comme un poltron, et s'effrayant des suites de ce crime épouvantable qu'il a préparé de gaieté de cœur, n'ont vu, ni l'un, ni l'autre, la toiture de la cave se courber lentement comme une vague que le vent creuse. Un instant l'affaissement s'arrête : les étais paraissent résister, et la vengeance de Dieu est suspendue. Mais l'explosion de la poudre dans l'arme meurtrière, le choc imprimé à la masse hésitante par le déplacement violent de l'air, font ployer, comme des genoux d'esclave, les supports *cotis* ; et la voûte de terre reprend, en grondant, sa chute lente mais terrible, implacable comme la fatalité. Les deux brigands poussent une clameur qui retombe sur eux, comme le sang du Christ retomba sur les juifs maudits. Ils s'élancent vers la trappe fermée, au-dessus de leurs têtes. La trappe ne s'ouvre point. Ils lèvent par instinct, leurs bras meurtriers vers le toit qui s'incline, comme pour le retenir et se préserver de son poids énorme. Le toit pesant n'est pas ralenti par leurs efforts désespérés, mais il s'abaisse toujours, lentement, lentement, et les pièces se cassent et se broient les unes contre les autres.

– Malédiction ! vocifère le chef des voleurs.

– Seigneur mon Dieu, s'écrie le maître d'école, ayez pitié de moi !

Prière sans amour, cri de peur d'une âme coupable, toujours inutiles, jamais entendus de celui qui sonde les cœurs et les reins !...

La masse pèse sur la tête des assassins, et ils se courbent, malgré eux, comme les roseaux que l'ouragan couche sur le rivage. La chute s'accélère. Une sueur froide coule sur leurs corps repliés. Le maître d'école, désespéré, se laisse tomber au fond de la cave, le long des pièces ébranlées. Le chef lutte encore et jette à Dieu qui le damne un blasphème épouvantable. Il tombe, ou plutôt se fait écraser par la masse alourdie qui descend toujours. Le maître d'école pousse un cri affreux. Un morceau de bois vient de lui broyer le pied.

Le chef, ramassé sur lui-même, les bras tordus, sent sur ses épaules un fardeau insupportable. Il croit, que cédant à ce fardeau, il va tomber plus bas et s'enfoncer davantage ; mais il ne bouge plus.

Le poids est de plus en plus lourd sur sa tête et sur ses reins. Il essaie de se soulever et ne peut faire un mouvement. Une fatigue inexprimable se glisse dans tous ses membres, et la douleur lui fait sentir ses aiguillons perçants.

« Ce n'est pas possible que je meure ici... pense-t-il. On va venir... On va m'ôter toute cette terre de dessus le dos... Être enseveli vivant, oh ! ce serait affreux !... Comme on souffre dans la terre !... Malédiction !... »

Et, ramassant toutes ses forces, il veut encore essayer de secouer le poids qui l'accable ; le sable lourd, entassé sur la vieille cave, reste immobile.

« Si j'avais un peu d'air ! pense-t-il. »

Et sa poitrine râle, serrée, comme dans les mâchoires d'un étau, entre le sol qui forme le plancher et celui qui forme le toit. La tête lui bourdonne comme si l'on battait le tambour à ses oreilles. Le sang lui sort des yeux.

« Est-ce que je brûle ? » se dit-il.

Seuls ses doigts crispés peuvent mordre la terre qui les enveloppe. Le sommeil le gagne.

« Il ne faut pas que je m'endorme, je pourrais mourir ! ne plus me réveiller !... »

Ses dents saisissent un morceau de terre et le broient de rage. Le poids qui l'écrase lui semble de plus en plus pesant.

« C'est le pèlerin qui monte et piétine sur moi... pense-t-il encore. »

C'est la justice de Dieu qui l'atteint ; c'est le poids de la colère du Seigneur qui pèse sur sa tête. Il râle, il râle !... Quelques grains de sable glissent le long de ses joues. Il croit que ce sont les vers de la tombe qui commencent leur travail, et une angoisse indicible le fait frémir dans son linceul épais. Un engourdissement extraordinaire paralyse ses membres, et il s'imagine n'avoir plus de pieds, plus de mains, plus de corps. Il s'imagine qu'il n'est plus qu'une tête horrible séparée, par un accident mortel, de son tronc sanglant.

« Si j'avais une main, pense-t-il, je pourrais reculer cette masse qui m'écrase... Si j'avais un pied... Je me sauverais !... Je suis fou ! je rêve... je m'effraie de rien !... »

Et il essaie de rire. Et sa bouche se contracte horriblement ! Et ses dents grincent une dernière fois.

« Je vais dormir, pense-t-il encore, et quand je m'éveillerai je serai mieux !... »

Il s'endormit en effet ; mais quand il s'éveilla il était devant Dieu !

XXVIII

Un serrement de mains qui n'est pas doux

Les habitants qui étaient venus fumer une pipe chez Asselin se retirèrent de bonne heure. Dans les champs on n'attend pas minuit pour se coucher, ni midi pour se lever. Le travail commande d'être matineux et la fatigue invite au repos. Asselin entra dans sa chambre. Sa femme dormait. Du moins il la crut endormie. Le visage caché dans le duvet de son oreiller, elle songeait. Elle avait raison de songer. Elle était assaillie de mille pensées diverses, de mille craintes amères. L'assassinat de l'orphelin qui, tout à l'heure, lui semblait chose facile et simple, n'avait pas réussi : plus que cela, les meurtriers expiraient, probablement victime de leur propre malice. Ce tour imprévu du Destin, qui n'est pas souvent aveugle, la jetait dans un abattement profond. Il lui semblait maintenant que les soupçons les plus odieux allaient planer sur sa tête, comme une volée d'oiseaux de mauvais augure. Elle devinait bien qu'ils étaient ensevelis sous les décombres, car son frère ne revenait point. Elle cherchait à s'étourdir par la pensée que, vivants encore, ils pouvaient être tirés des débris de la cave et sauvés. Les voisins s'étaient informés du maître d'école, qu'ils ne voyaient pas chez son beau-frère. Mme Eusèbe avait expliqué l'absence de son frère par un mensonge fort bien paré des couleurs de la vérité. Cependant ce mensonge causait maintenant son désespoir, non pas parce qu'il était une offense envers Dieu, mais parce qu'il menaçait de la compromettre. Elle s'accusait de manque de jugement, d'imprudence, de sottise et d'aveuglement. Il eût été si simple de répondre qu'elle ne savait pas ce qu'il était devenu. Elle n'était nullement tenue de le savoir. Au lieu de cela, la sotte avait dit qu'il était allé au Platon, marchander la terre de Thomas Hamel. Et maintenant si l'on trouvait le cadavre de Racette enterré sous les décombres de la cave avec celui de l'étranger, comment réussirait-elle à convaincre les gens qu'elle ne connaissait rien des projets infâmes des deux assassins ?

Asselin s'endormit. Rarement il s'éveillait avant l'aube. Son sommeil était profond comme la léthargie. Pour le chasser de ses paupières, il fallait un vacarme d'enfer. Mme Asselin se lève doucement, car on craint toujours d'être vu quand on fait une action qui doit être secrète. Elle revêt sa jupe et son mantelet, chausse ses bottines, met son chapeau de paille et, munie d'une pioche, elle s'éloigne de la maison. Vingt minutes après elle arrive au caveau, dans le haut du champ. Elle est tentée de s'en revenir, car elle a peur de voir se lever, dans les ombres de la nuit, les spectres des deux morts. Elle frémit, ses yeux grands ouverts croient voir toutes sortes de formes infernales danser sur la cave écroulée. Tout à coup une plainte longue et sourde sort des décombres. Elle s'approche et prête l'oreille avec attention. Une seconde plainte s'élève.

– Est-ce toi, José ? dit la femme épouvantée ; es-tu mort ?

Une voix souterraine murmure :

– Non... dépêche-toi...

Assurément il n'est pas mort, mais il ne vivrait pas longtemps dans son étroit tombeau. Couché le long des pièces qui formaient le côté de la cave, il eût échappé sain et sauf sans le morceau de bois qui lui écrasa le pied. Il est enfermé comme dans un étui, peut à peine faire un mouvement, et mourrait asphyxié sans le faible courant d'air que laisse passer une fente imperceptible. Il a, lui aussi, des terreurs indicibles et des emportements de damnés. Il invoque le ciel et l'enfer, prie et blasphème, sans pouvoir rompre l'enveloppe de plomb qui le ceinture. Parfois la douleur qu'il ressent au pied lui fait perdre connaissance, et un moment après une douleur plus aiguë le réveille encore. Il entend la voix qui vient du dehors et les coups de la pioche qui s'enfonce dans la terre et les pièces de bois pourri. Il ressent une joie immense. L'insensé ! il ne songe pas à la honte, au déshonneur, au châtiment qui suivront sa délivrance. L'horreur de la mort est tellement naturelle que, pour vivre un jour de plus, l'on échangerait la mort calme et sans douleur d'aujourd'hui contre le martyre de demain. Une lambourde fait baisser la masse de terre, et le maître d'école pousse un gémissement prolongé ! La terre pèse sur lui comme sur un tombeau. Il sent sa poitrine se briser contre le sol ; et il ne peut plus remuer. Sa main droite reste libre et s'agite comme un tronçon de serpent. Mme Eusèbe introduit le bras dans l'ouverture que l'instrument vient de pratiquer en dérangeant la pièce. Elle sent une main vigoureuse saisir la sienne, et frémit de terreur.

– José ! répète-t-elle, laisse-moi ! je vais te sauver.

La main qui la tient ne se desserre point ; c'est la poigne énergique du malheureux qui se noie.

– Laisse-moi donc ! dit-elle encore.

Et elle s'efforce de se débarrasser de l'étreinte horrible du mourant... Les doigts du meurtrier, fermés comme des mâchoires de tenailles, s'enfoncent de plus en plus dans la main potelée de la femme.

– Je ne pourrai pas enlever la terre qui te couvre... repart-elle, et tu seras trouvé demain matin par les hommes qui vont venir !... Laisse-moi ! Laisse-moi donc !... José !... je t'en prie !... pourquoi fais-tu cela ?... Je suis venue pour te sauver !... Je suis venue toute seule, en pleine nuit... Il fait noir ! Eusèbe dort... laisse-moi travailler avant le matin !...

La main crispée la serre toujours.

– Tu ne m'aimes donc point, mon frère ?... Ah ! comme tu as le cœur dur !... Moi je me sacrifie pour toi !... Laisse-moi donc aller, hein ? mon petit ! mon cher ?... Je suis ta sœur, tu sais ?... ta petite Caroline que tu aimais tant !... Desserre les doigts un peu, rien qu'un peu !... Pourquoi me fais-tu mal ?... Veux tu me faire mourir de peur ? Tu n'es pas méchant !... tu ne m'en veux point... Je te donnerai de l'argent... oui, tant que tu en voudras...

La main du moribond ne s'ouvre point, car il pense, dans son trouble inexprimable :

« Si la pioche donne encore un coup, je vais être tout à fait écrasé. »

Il ne peut parler, et râle comme un asthmatique après une course. Mme Eusèbe fait de nouveaux efforts pour se soustraire à cette main formidable. Elle donne des secousses violentes, elle s'arc-boute sur les débris de la cave. Peine inutile, vaines tentatives ; elle est enchaînée là, comme une embarcation par une ancre. Elle s'irrite.

– Laisse-moi ou je dirai tout ! s'écrie-t-elle, je te trahirai !... je ferai connaître tes projets infâmes ! Entends-tu ? laisse-moi ! ou je te ferai monter sur l'échafaud !... Canaille ! canaille ! me laisseras-tu ?... Ah ! si j'avais su !... Pour l'amour de Dieu, José, laisse-moi donc aller !... Tiens ! je t'en conjure à deux genoux !... Pardonne-moi ce moment de colère... Vite ! laisse ! il va faire jour bientôt !...

La main implacable ne s'ouvre point.

« Il est mort ! pense-t-elle,... c'est la main d'un mort qui m'a saisie !... »

Alors elle a une frayeur mortelle. Son esprit surexcité lui fait souffrir mille tortures imaginaires. Elle éprouve une sensation de froid, et elle croit que c'est une couleuvre qui s'entortille autour de son bras :

« Sa langue fourchue va me piquer, pense-t-elle... elle me pique... ah !... »

Un moment après elle se figure qu'une araignée écœurante et noire se promène sur sa main ; elle sent le chatouillement de ses pattes velues ; elle voit bien que le repoussant insecte traîne les lambeaux de sa toile brisée ; elle s'attend qu'il va la mordre, et cela lui cause des frissons d'horreur. Elle pense mourir là, fatalement attachée à son complice, sur les débris du caveau.

Personne ne saura jamais quelles angoisses elle endura pendant cette nuit de crimes et de châtiments. Quand l'aurore laissa tomber sur les prés jaunis son éclat serein, quand le soleil parut au-dessus des bois grisâtres, elle était encore enchaînée par la main impitoyable de son frère.

Asselin se réveilla vers l'heure accoutumée. La grande horloge tinta quatre coups, et le timbre clair résonna gaiement dans toute la demeure encore silencieuse. Il fut surpris de ne pas trouver sa femme à ses côtés. Il le fut bien plus encore de ne pas la trouver dans la maison. Il appela. Personne ne répondit. Elle n'était ni à la laiterie, ni au hangar, ni à l'étable...

« Voilà qui est singulier ! pensa-t-il, où peut-elle être ? qu'est-ce que cela signifie ?... »

Il réveilla Joseph le pèlerin.

– Sais-tu ce qu'est devenue ta tante ? c'est curieux ! je ne la vois point...

– Ma tante ? fit l'orphelin tout étonné.

Et il se prit à réfléchir.

– Je ne le sais point... continua-t-il après un moment. Elle est peut-être...

Il n'acheva pas.

– Où ? demanda l'oncle en peine.

– Peut-être à la cave aux patates.

– À la cave aux patates, pourquoi ?... la nuit... tu rêves !...

Et il sortit fort embarrassé, et l'air bien inquiet. Le pèlerin se leva. Pendant la nuit il avait songé aux contradictions de son oncle et de sa tante, au sujet de la cave, et l'événement démontrait que sa tante n'avait pas dit la vérité. Dans quel but ? Il avait assez souffert autrefois de la mauvaise humeur de sa tante ; sa petite sœur avait révélé suffisamment, dans son innocente conversation, les intentions criminelles de cette femme à son égard, pour qu'il ne fût pas longtemps à le deviner. Il éprouva un douloureux serrement de cœur :

« Le maître d'école, pensa-t-il, serait-il donc pour quelque chose dans cette affaire ? Pourquoi est-il ici, avec nous, quand il devrait éviter nos regards et nos reproches ? Le danger n'est-il pas encore disparu ? Sommes-nous toujours entourés d'ennemis traîtres autant que lâches ?... »

Il fit sa prière du matin et sortit.

Asselin revenait du voisinage. Personne n'avait eu connaissance de sa femme.

– Allons à la cave, dit le pèlerin.

– Allons-y.

Asselin marchait à regret. Il redoutait un malheur. Plusieurs des voisins se joignirent à eux, curieux de voir cette tombe du ruisseau que la folle avait signalée dans ses discours étranges.

Le soleil se levait. À quelque distance de la cave, les hommes virent une ombre s'agiter auprès des décombres.

– Il y a quelqu'un, dit l'un des voisins.

Eusèbe était muet : il tremblait d'une crainte vague. À mesure qu'ils approchaient la forme se dessinait mieux.

– C'est ma tante ! dit l'orphelin.

– C'est ta femme ! dirent les voisins à Asselin.

– Est-elle folle ? répondit celui-ci. Que peut-elle faire là ?...

Ils arrivèrent. La femme était affreuse à voir. La terreur était peinte sur ses traits. Elle était échevelée et regardait autour d'elle d'un œil hébété. Ils l'entendirent murmurer d'une voix sombre et enrouée :

– Laisse-moi !... voilà du monde !...

– Que fais-tu ici, Caroline ? lui demande son mari.

Elle ne répond point et le regarde vaguement.

– Viens-t'en, repart-il.

Il veut la tirer à lui ; mais il s'aperçoit que son bras est pris dans les décombres comme dans un piège. L'un des habitants ramassa la pioche que la femme avait laissée tomber près d'elle, et se mit en devoir d'enlever la terre.

Au premier coup, la femme poussa un cri. Les doigts impitoyables du mourant s'étaient enfoncés de nouveau dans ses chairs.

– Travaillez plus loin, de l'autre côté, dit-elle ; il me serre de plus en plus.

– Qui ? demande-t-on.

– Mon frère.

– Le maître d'école ? s'écrient les habitants stupéfaits.

La femme penche la tête.

– Vite, des bêches ! déblayons le terrain !

Plusieurs avaient commencé leurs guérets et laissaient, chaque soir, leurs bêches plantées dans la tourbe, sur le bord des rigoles. Courir chercher ces instruments fut l'affaire de cinq minutes. L'opération du déblaiement commença. Elle ne fut pas longue. Les bras vigoureux faisaient jouer les *ferrées* (bêches) avec la force et la régularité d'une machine. La terre volait comme une poussière. Les pièces de bois cassées furent retirées par éclats. L'une des bêches toucha un corps mou, souple, élastique qu'elle fit obéir sans l'entamer. La terre fut enlevée avec précaution et la forme d'un être humain se dessina.

– Ce n'est pas le maître d'école ! dirent les travailleurs avec surprise.

Le cadavre fut tiré des décombres et couché sur la prairie.

Personne ne le reconnaissait.

– C'est un vieillard, disait-on. Il est chauve !...

– C'est un étranger.

– Que faisait-il ici ?...

– Le pèlerin regardait le mort avec attention.

– Moi je le connais, dit-il tout à coup, d'une voix triste, c'est le chef d'une bande de voleurs, le chef des voleurs qui sont venus chez mon oncle, cet été, le maître des bandits qui ont enlevé Marie-Louise, il y a quelque jours.

– Il venait pour nous dépouiller, observa l'un des travailleurs.

Le pèlerin secoua la tête comme un homme qui doute, ou qui sait le contraire de ce que l'on affirme.

Les hommes se remettent à la besogne. Dès les premiers coups de bêche ils tirent un sac de provisions.

– Tiens ! remarque l'un d'eux, il ne s'attendait pas à mourir sitôt.

– Il voulait prendre une bouchée avant de partir !

– Il a oublié sa barbe, s'écrie un autre en montrant une longue moustache noire qu'avait trahie le sable jaune.

– Et sa perruque ! fait un troisième, en secouant pour la débarrasser de la terre, une calotte richement garnie de cheveux châtains.

– C'est l'étranger qui est venu avec le maître d'école pour acheter une ferme !

– Oui, c'est lui !

– Mais il était parti : Racette l'a conduit à Saint-Jean avec la voiture d'Eusèbe. Pas vrai, Eusèbe ?

– Oui... répond Asselin qui n'en revient point de sa surprise, mais c'est bien sa moustache... ce sont bien ses cheveux...

– Il va arriver démasqué ; il ne pourra pas tromper saint Pierre, dit l'un des habitants.

On part à rire.

Les restes d'un brigand n'inspirent ni crainte ni respect.

L'une des *ferrées* heurte quelque chose de métallique.

– Mon fusil ! dit Asselin, c'est mon fusil !...

Et il manie l'arme, en l'examinant attentivement.

– Je comprends tout, maintenant, dit le pèlerin, je comprends tout !...

On le regarde d'un air interrogateur.

– Je vois, reprit le jeune homme, pourquoi le caveau s'est écroulé au moment où j'étais tout auprès !... Je devine pour qui cette tombe a été creusée dans le ruisseau. Et, de la main, il montre dans le lit desséché de la petite rivière la fosse ouverte.

On le regarde avec étonnement...

– Je comprends, continue-t-il, pourquoi ma tante me disait, hier, que la cave était solide encore, et que je n'avais qu'à y descendre pour m'en convaincre !... Mon Dieu ! Mon Dieu ! qu'ai-je donc fait pour que l'on me refuse ma place au soleil !...

Ce cri de désolation affecte vivement les travailleurs, dont les yeux se sont fixés sur la femme inhumaine. Elle, à demi-couchée sur le sol froid, folle de honte, de rage et de peur, elle regarde d'une étrange façon les débris de la cave.

La stupéfaction des habitants redouble quand ils découvrent le maître d'école. Il vit encore. C'est bien lui en effet qui tient le poignet meurtri de sa misérable sœur. On lui desserre les doigts. La femme, libre tout à coup, s'enfuit à la maison.

Le maître d'école fut transporté chez son beau-frère. Il ne mourut point. Il y eut enquête sur le corps du vieux scélérat. Toute la paroisse se rendit sur le lieu de l'accident. Les hommes, les femmes, les jeunes filles, les enfants formaient comme une procession qui montait et redescendait sans cesse sur la terre du pupille. Le curé refusa d'enterrer dans le cimetière le chef des voleurs.

– Sa tombe est toute prête, dit-il, c'est lui-même qui l'a creusée.

– Au ruisseau ! au ruisseau ! s'écrièrent les habitants.

Et la foule, enveloppant le cadavre dans un drap de toile blanc, le porta dans la fosse étrange du ruisseau. Pendant qu'on le recouvrait de terre un jeune homme mince et long, la tête penchée sur sa poitrine, regardait en silence et pleurait. C'était Picounoc. Une forme légère, sortant du fond des bois, s'avança silencieuse sur la berge. Inclinée, elle regardait l'œuvre sinistre avec curiosité. Tout à coup elle s'écria :

– Marie-Louise ! Marie-Louise ! Viens ! n'aie point peur !... la fosse du ruisseau n'a pas été creusée pour toi !... La tombe se ferme !... Le ruisseau va couler sur la face d'un maudit... mais l'eau ne lavera pas les souillures de son âme !... Marie-Louise ! Marie-Louise ! Viens ! Hâtez-vous ! hâtez-vous ! de crainte qu'il ne se réveille !... Foulez la terre avec vos pieds pour qu'il ne se lève plus !... Entassez les pierres !... Ils étaient deux !... Creusez un trou pour l'autre... un trou jusqu'aux enfers !... Marie-Louise ! Marie-Louise ! ne viens pas !... l'autre n'est pas enterré !...

Elle disparut sous les rameaux majestueux, criant toujours :

– L'autre n'est pas enterré !... l'autre n'est pas enterré !...

Les travailleurs, un moment retardés par l'apparition de la folle, reprirent leur tâche funèbre. La fosse fut remplie, et l'onde du ruisseau s'étendit comme un voile sur le cadavre du vieux brigand.

XXIX

La noce

Neuf mois environ se sont écoulés. L'hiver est venu et s'est enfui avec ses tourbillons de neige et ses vents de nord-est ; avec ses cieux saturés de lumière et ses clairs de lune incomparables ; avec ses fêtes et ses travaux. L'été chante et rayonne sur nos rives. Les portes et les fenêtres de la maison du pupille, longtemps solitaire et déserte, s'ouvrent au soleil et à la brise. Une agréable odeur de chaux et de bois lavé s'exhale des murs et des cloisons. Les contrevents ont été de nouveau peints en rouge. Le toit semble se relever plus fier au milieu des grands peupliers.

La fenaison est finie. Les granges sont remplies jusqu'au faîte, car les prairies ont bien rendu. Les habitants se reposent en attendant la récolte. Le grain n'est pas assez mûr encore pour être coupé.

C'est le temps des mariages à la campagne. On écoute avec curiosité, le dimanche, les bans nouveaux. L'on est toujours surpris, car tels qui devaient publier, n'en font rien, et tels autres que l'on ne soupçonnait point de penser au mariage, révèlent tout à coup leurs promesses d'éternel amour. Mais nul ne fut surpris, à Lotbinière, d'entendre la publication de Joseph Letellier et de Noémie Bélanger. On savait que le pèlerin et la jeune fille s'aimaient depuis longtemps. Quelques-uns affirmaient même que leur attachement datait de l'enfance, et qu'ils avaient commencé de s'aimer à l'école. Et les commères réunies à la porte de l'église et dans la salle publique, l'automne dernier, ne se trompaient point en prédisant leur mariage. Le dimanche qu'ils publièrent, ils vinrent à la messe ensemble. C'était la coutume alors. Le garçon d'honneur, assis sur le petit siège de la calèche, en avant, les menait lui-même.

Aujourd'hui, quand on est sur le point de se marier, l'on semble avoir honte et l'on se cache ; c'est que l'on ne comprend plus la grandeur et la beauté du sacrement.

Le lundi soir, veille du mariage, la plupart des invités, les jeunes gens surtout, vinrent fêter la mariée. Le prétendu arriva d'abord avec son garçon d'honneur. Il demeurait chez le subrogé tuteur,

Gabriel Laliberté. Noémie, rougissante de plaisir, sortit pour le recevoir. Tour à tour les autres survinrent, chaque *cavalier* conduisant sa *blonde*. La veillée fut agréable et peu longue. Picounoc avait été invité aux noces, mais descendu à Québec, quelques jours auparavant, il n'était pas encore de retour. Il avait, ainsi que l'ex-élève, passé l'hiver dans les chantiers, et tous deux étaient revenus de bon printemps pour n'y plus retourner.

Voici le jour du mariage ! Le soleil se lève radieux comme s'il voulait être de la fête. Il y a chez Bélanger et dans le voisinage un va-et-vient extraordinaire. Tout le monde est debout avec le jour. Les chevaux s'attellent ; les voitures arrivent chez le père de la mariée. Les convives sont nombreux.

Noémie attend anxieuse et palpitante le nouvel époux. Elle est pâle, et la pensée de l'engagement solennel qu'elle va prendre met un rayon de tristesse dans son œil noir.

Joseph arrive. Noémie lui tend la main. Il l'embrasse.

Bélanger va, joyeux, au devant des convives, et dit une bonne parole à chacun. Mme Bélanger est triste, et l'idée de se séparer de son enfant lui déchire le cœur.

– Allons ! tout le monde est-il prêt ? En route ! en route ! crie Gabriel Laliberté, qui sert de père à Joseph.

– Oui ! oui ! répond-on de toute part. En route ! vive les noces !

La mariée embrasse sa mère en pleurs ; elle embrasse aussi les autres femmes qui restent à la maison pour préparer le dîner ; puis elle monte avec son père dans la dernière voiture. Le marié, accompagné de celui qui représente son père, et conduit par son garçon d'honneur, part le premier.

L'ex-élève part le second : il est le *suivant*. La *suivante* est Emmélie !

En partant il crie :

– *Procedamus in pace !*

– Qu'est-ce que cela veut dire ? lui demande sa compagne, en riant.

– Cela veut dire que je t'aime !

Et les voitures s'éloignent d'un train rapide.

– Nous n'avons pas de temps à perdre, dit l'une des femmes restées à la maison pour dresser la table.

– Ils ne reviendront pas avant midi, répond une autre. Il faut qu'ils aillent faire visite aux voisins.

– Ils n'auront toujours pas la peine d'arrêter chez Asselin.

– Pauvre Asselin ! s'il n'avait pas eu une femme aussi méchante, il serait probablement encore sur sa terre, et au milieu de nous.

C'était Mme Bélanger qui faisait cette remarque.

– Savez-vous où il est maintenant ? demande la Chénard.

– Il est gagné les hauts.

– La femme a une grande influence sur le mari, dit la mère Lozet. Quand elle est bonne, le mari ne peut pas rester méchant ; mais quand elle est méchante, le mari ne peut guère demeurer bon.

– Avec cela qu'il avait des dispositions ! repart, d'un ton sec, la José-Antoine.

– Vous voyez ce que c'est, continue la mère Lozet. Il voulait avoir du bien qui ne lui appartenait pas, et il perd le sien.

– Il a vendu sa terre.

– Oui, mais pour avoir de l'argent comptant, il s'est vu obligé de la vendre à moitié prix.

– Il ne pouvait plus demeurer ici. Le mépris de ses concitoyens l'accablait, et la vie lui serait devenue insupportable, dit Mme Bélanger.

– Et sa femme n'osait plus sortir : personne ne la voyait, reprit la mère Chénard...

– La malheureuse ! elle doit beaucoup à la générosité du pèlerin !

– Ses projets criminels se sont tournés contre elle-même.

– Elle s'est prise dans les pièges qu'elle tendait aux autres.

– La main de Dieu se voit dans tout cela.

Les femmes jasaient depuis deux heures, quand un des gamins du voisinage entra, s'écriant :

– Voilà les gens des noces ! Voilà les gens des noces !

Elles sortirent. Une longue file de voitures montait la route grand train. Un nuage de poussière s'élevait sous les pieds des chevaux et les roues des calèches. Le soleil était chaud et la brise légère. Les oiseaux voltigeaient dans les arbrisseaux qui bordaient le chemin, et paraissaient plus gais que de coutume. Ils saluaient, de leurs voix harmonieuses, les nouveaux époux.

En tête du cortège, Joseph et Noémie, conduits par leur garçon d'honneur, éblouis en quelque sorte par l'éclat de leur félicité, se regardent, se sourient, et ne trouvent plus de paroles assez expressives pour dire l'ivresse de leur âme. L'ex-élève et la blonde Emmélie, les *suivants*, ne sont guère moins heureux, car ils ont pour eux l'espérance avec l'amour. M. Bélanger et le subrogé tuteur ferment le cortège.

On ne se rend pas de suite chez Bélanger, car il faut arrêter voir les voisins. À chaque endroit l'on danse, l'on prend un coup et une bouchée. Ce sont toujours les mariés qui ouvrent la danse avec leurs *suivants*. Le garçon d'honneur voit à ce que les exigences de la coutume soient satisfaites.

Quand on arrive à la demeure de la mariée, la gaieté est devenue bruyante déjà, et le plaisir déborde comme un torrent. On entend de toutes parts des cris joyeux, des reparties drôles, des chants allègres. Les jeunes époux entrent et vont embrasser Mme Bélanger, qui ne pleure plus, mais qui est toute rayonnante. Et alors, chacun à son tour donne à la jolie mariée le baiser de l'amitié.

Bélanger a défait les cloisons de sa maison, pour agrandir la salle. On s'assied et l'on cause pendant que les jeunes gens vont dételer les chevaux. Les joueurs de violon accordent leurs instruments, et passent sur l'archet la résine qui va lui faire mordre les cordes vibrantes. La chanterelle pousse des cris de folle joie, pendant que la grosse corde d'argent gronde sourdement.

En attendant le dîner l'on danse *reels* et cotillons, gigues simples et gigues *voleuses*. Quelques vieillards, pour donner des leçons d'élégance à la nouvelle génération, dansent des menuets gracieux. Puis les tables se dressent. L'on met, sur des chevalets d'occasion, des planches longues que l'on recouvre de nappes blanches. Le garçon d'honneur conduit à la première place les jeunes époux. Il fait asseoir à leur droite les *suivants*, à leur gauche, le père de Noémie et le subrogé tuteur. Il place ensuite les invités, les plus vieux les premiers. Chacun trouve qu'il s'acquitte de sa tâche avec beaucoup de tact et de zèle. La plupart des jeunes gens sont réunis à la seconde table. Bien des vieillards, qui aiment encore le badinage, regardent d'un œil d'envie cette tablée joviale et brouillonne.

Pendant que l'on fait main basse sur les rôtis et les sauces, sur les pâtés cuits dans les plats de fer et les tartes constellées de fleurs en pâte, Picounoc entre.

– Bonne appétit ! nasille-t-il... Gardez-moi une pointe de tarte toujours !

Le rire fut général.

– Bonjour ! Picounoc, dit le pèlerin.

– *Unde et quo* ? demande l'ex-élève.

– Viens saluer les mariés ! dit le garçon d'honneur.

Picounoc s'avance, et serre la main à son ancien camarade de chantier.

– Embrasse ma femme, dit Joseph, je te le permets. Je ne suis pas jaloux.

Un éclair de feu passa dans la prunelle de Picounoc : tout le monde ne le vit pas. Une angoisse serra son âme : personne ne s'en aperçut. Il déposa sur les lèvres de Noémie un baiser qu'il eût voulu rendre éternel.

Le garçon d'honneur le conduit à la table des jeunes gens.

– Es-tu venu à pieds ? dit Joseph.

– À pieds comme un chien, depuis Saint-Antoine.

– *Sicut canis*, reparti l'ex-élève.

– Quelles nouvelles à Québec ? demande Bélanger.

– Pas grand-chose. J'ai vu le maître d'école...

– Tu as vu le maître d'école ?

– Oui, vu ce qui s'appelle vu !

– Est-il bien malade ?

– Il s'est fait amputer le pied.

– Il s'en ira rien que sur une jambe, réplique l'un des convives.

– *In una jamba !* traduit l'ex-élève.

– J'ai aussi vu le charlatan, continue Picounoc.

– Oui ?

– Le charlatan et le maître d'école sont encore en prison. Il paraît que c'est drôle de les entendre causer parfois.

– Les misérables ! murmure le marié.

– Le charlatan va-t-il en revenir ? demande un vieillard.

– Oui, mais il est difforme. Il va être drôle à voir.

– *Mirabile visu !* dit l'ex-élève !

– Leur procès est-il fait ? demande Laliberté.

– Oui ! Ils sont condamnés à cinq ans de pénitencier.

– C'est la peine qu'il avaient fait porter contre toi, Joseph, dit-il au marié.

– C'est ainsi, observe la mère Lozet, que le bon Dieu déjoue souvent les projets des méchants, et tourne contre eux-mêmes leurs armes dangereuses.

– Et quand il semble ne pas les apercevoir, et les laisser triompher, c'est qu'il attend la mort du coupable. Il a toute l'éternité pour punir le crime et récompenser la vertu !

– Ceux qui sont persécutés ne doivent pas se plaindre, parce que Dieu leur a promis la gloire un jour.

– Et les autres brigands ? Robert, Charlot ?

– Ils sont disparus.

– Comment se porte la mère Labourique ? demande l'ex-élève.

– Pas joyeuse, pas riche, pas belle non plus, répond Picounoc.

– Et la Louise ?

– *Dito !*

– Si nous chantions maintenant ? personne ne mange plus, hasarde un vieux qui a bien hâte d'en remontrer aux jeunes, et de moduler son couplet de circonstance.

– C'est le marié qui commence ! Allons ! Joseph, une chanson !...

Sans se faire prier, le nouvel époux entonne le refrain qu'il a appris exprès pour le jour de son mariage. Tous font chorus. La chanson est trouvée admirable. La mariée à son tour redit son bonheur, d'une voix douce et tremblante, dans une chanson plutôt mélancolique que joyeuse.

Alors on invite le *suivant*. L'original, se lève et entonne le *Magnificat*.

– Attends à dimanche ! dit un drôle.

– C'est bien, répond l'ex-élève, je m'assieds à sa droite. Il montre la mariée. *Sede a dextris suis !*

Alors les vieux ont leur tour, et les chants du temps passé reviennent tous. Ils se dressent en quelque sorte en face des chants d'aujourd'hui ; et c'est une lutte plaisante, pleine d'intérêt et d'harmonie, entre la vieillesse et la jeunesse, entre la poésie d'autrefois et celle de maintenant. Les chansons d'amour, les légendes rimées, les refrains égrillards, les couplets sarcastiques, tout cela monte, baisse, se croise, se mêle, s'enchevêtre, avec une verve, un charme, un entrain merveilleux.

Parmi les convives est une charmante enfant, c'est Marie-Louise. Elle est assise près de sa mère adoptive, Mme Lepage. Elle est en vacances. Elle n'a pas encore passé une année au pensionnat, et déjà l'on voit dans son maintien, son langage et ses manières, les fruits des sages conseils et de la haute éducation que donnent, avec tant de dévouement, les femmes incomparables de nos couvents.

Après le dîner les uns sortent et se promènent sous les arbres du jardin, pendant que les autres dansent avec une ardeur nouvelle. Les joueurs de violon se succèdent tour à tour. Plusieurs des vieillards jouent aux cartes. L'honneur de battre ses adversaires est un aiguillon assez piquant, et l'on ne met point d'enjeu. Quelques-unes des femmes causent dans la cuisine.

– Cette pauvre Geneviève ! reviendra-t-elle jamais à la raison ? dit la mère Lozet.

– Elle est mieux, répond Mme Lepage. Il y a espoir.

– Elle a été bien punie de ses fautes, la pauvre fille ! dit la mère Blais.

– C'est que le bon Dieu l'aime encore. Il ne punit pas, dans l'autre vie, ceux qu'il condamne à l'expiation ici-bas, répond la mère Lozet.

– C'est consolant pour ceux qui souffrent avec soumission, dit

Mme Bélanger.

La noce doit durer deux jours au moins. Il faut aller chez Laliberté, qui n'entend pas avoir fait pour rien ses préparatifs.

Cependant *cavaliers* et *blondes* se rencontrent partout, et font des *broches* à faire regretter de n'être plus jeunes les anciens qui les voient.

Le pèlerin et Noémie, assis dans la fenêtre, se tiennent par la main et gazouillent avec tendresse.

Picounoc, seul à l'écart, les dévore des yeux. Il est jaloux.

L'ex-élève et Emmélie sortent du jardin et viennent s'arrêter près de la fenêtre où sont les mariés.

Joseph et Noémie ne les voient point.

– Nous sommes donc l'un à l'autre pour jamais ! dit Joseph.

Noémie sourit. Un soupir de bonheur soulève sa chaste poitrine.

– Es-tu heureuse ? continue-t-il.

– Je voudrais vivre longtemps ! longtemps !

Joseph sourit à son tour.

– Tu m'aimes donc bien ? dit-il.

– Si je t'aime !...

– M'aimeras-tu toujours ?...

– Toujours ! toujours ! toujours !

– *In saecula saeculorum. Amen !* dit en riant l'ex-élève.

FIN

Milton Keynes UK
Ingram Content Group UK Ltd.
UKHW050752311023
431661UK00010B/521